暴虐と虐殺の世界史
人類を恐怖と絶望の底に突き落とした英傑ワーストイレブン
リクルート「スタディサプリ」講師
村山秀太郎

二見書房

はじめに――「暴虐」という、人類の錯乱の根本原因を読み解くために

私はかれこれ30年余り、世界史の授業をしてきました。塾予備校や高校の教室で、最近ではZOOMやオンライン予備校のスタジオ、そして大学のキャンパスで、色々なテーマで世界史を語っています。

その度に必ず登場する言葉が、「～の戦い」「～の乱」「～革命」「～戦争」です。そしてそれらの歴史用語を口にするたびに感じるのが、「X年のYの戦い」での本当のことを、どの程度、生徒たちに伝えることができているのだろうか？　ということでした。

授業ですから、生徒の偏差値を上げるために「～の戦い」「～革命」などを「覚える」ようにうながします。要する時間はほんの数分、場合によっては数秒です。

しかし、これでは「X年のYの戦い」で、どれほど多くのヒトが身体に強烈な痛みを伴うダメージを受け、叫びつつ悶え、人生を瞬時に中断させられたのか……その真実を伝えることができてはいないのです。それは、教壇に立つようになってすぐに感じたことでした。

残念ながら、正味9カ月で世界史全時代全地域を網羅する「入試世界史」の授業では、「百年戦争」に10分、約1千万人が死亡した第一次世界大戦の経過の説明には15分、日本人310万人含む約6千万人が死亡した第二次世界大戦の経過の説明には、長くても90分しか割けません。しかも、私がウクライナ史を講じている授業中にドンバス地方の住民が、パレスチナ問題を講じている時間内にガザ地区の子どもが命を落としているのです。

よく「村山さんはいい職業ですね！ 世界史っておもしろいですよね」と周囲の大人から言われますが、私はきまって心の底から「全然おもしろくありません、悲しいだけです」と答えます。そして学生たちには「世界史を決して愉しまないでね」と懇願します。

授業の予習という「仕事」と、読書&世界旅という「趣味」を截然と区切らずにすむという意味では、「おもしろい」職業です。しかし、基本的に「ヒトの死」、それも天寿をまっとうできなかったヒトの死を大量に語らねば職責を果たせず、それにより禄《ろく》を食《は》んでいるわけですから、世界史教師など決して精神衛生上よい職種とは言えないと常々思っています。

人類の定義に「ホモ・デメンス（錯乱した動物）」というのがあります。

まさに日々のニュースや歴史ドキュメンタリーを見ると、人類とはまるで本能が壊れてしまった生物であろうかと、思わず溜息が漏れるような場面に出くわすことが多々あります。その錯乱のなかで、ヒトがヒトを虐げる姿を私たちはよく目にします。

3千年前のイスラエルの王ソロモンはこう言っています。

「ヒトがヒトを支配して害を及ぼした……虐げられている者たちの涙がある。しかし、彼らには慰めてくれる者がいなかった。彼らを虐げる者たちの側には力があった」

ソロモンはユダヤ人です。ユダヤ人はナチスによるホロコーストの被害者です。現在のイスラエルではハマスによるテロの被害者であり、ガザ地区空爆の加害者です。

歴史を通じ、常に「虐げと暴虐」があったことは否定できません。ソロモンの時代も、私たちの時代も、それは変わることはないのです。そして、「虐げと暴虐」をテーマにして何かを語ると、私たちはつい、自虐史観とか反自虐史観に傾きがちです。

しかし、私が本書で行う「講義」は、自虐史観とか反自虐史観とか、そんなレベルの話ではありません。「〜の戦い」「〜の乱」で命を奪われ、あるいは愛するものを失い涙にくれている当事者にとって、自虐史観とか反自虐史観などという歴史観などは、どうでもよいことだからです。彼らの悲しみ、苦しみを生み出したものは、人類のもっと深いところにある根本原因なのです。

人類の定義に「ホモ・ヘルメネウティクス（解釈する動物）」というのもあります。

「歴史を忘れる者は片目を失い、歴史に固執する者は両目を失う」

これはロシアの諺です。この諺が示すように、私たちは諸問題を注視できます。しかし、私たちにとって、根本原因に目を向けるのは難題であり、挑戦でもあります。

「暴虐」は「パン・デミック」のものです。ギリシア語で「パン」は「すべて」、「デミック」は「デモス＝民衆」の意味を持ちます。つまり、「暴虐」とは特定の誰かが行うことではなく、すべての民衆が起こし得ることであり、それはヒトが人類である限り変わりません。

これから人類の錯乱の根本原因の解釈をともに試みてみましょう。カレントな話題を素材にして、世界史の永久凍土とも言える層に切りこんでみましょう。

では「暴虐」をキーワードにして、次々とヒトの名前をあげつらう、一風変わった世界史の講義に入りましょう。

村山秀太郎

暴虐と虐殺の世界史——目次

世界史英傑ワールドイレブン

システム＝4－3－3

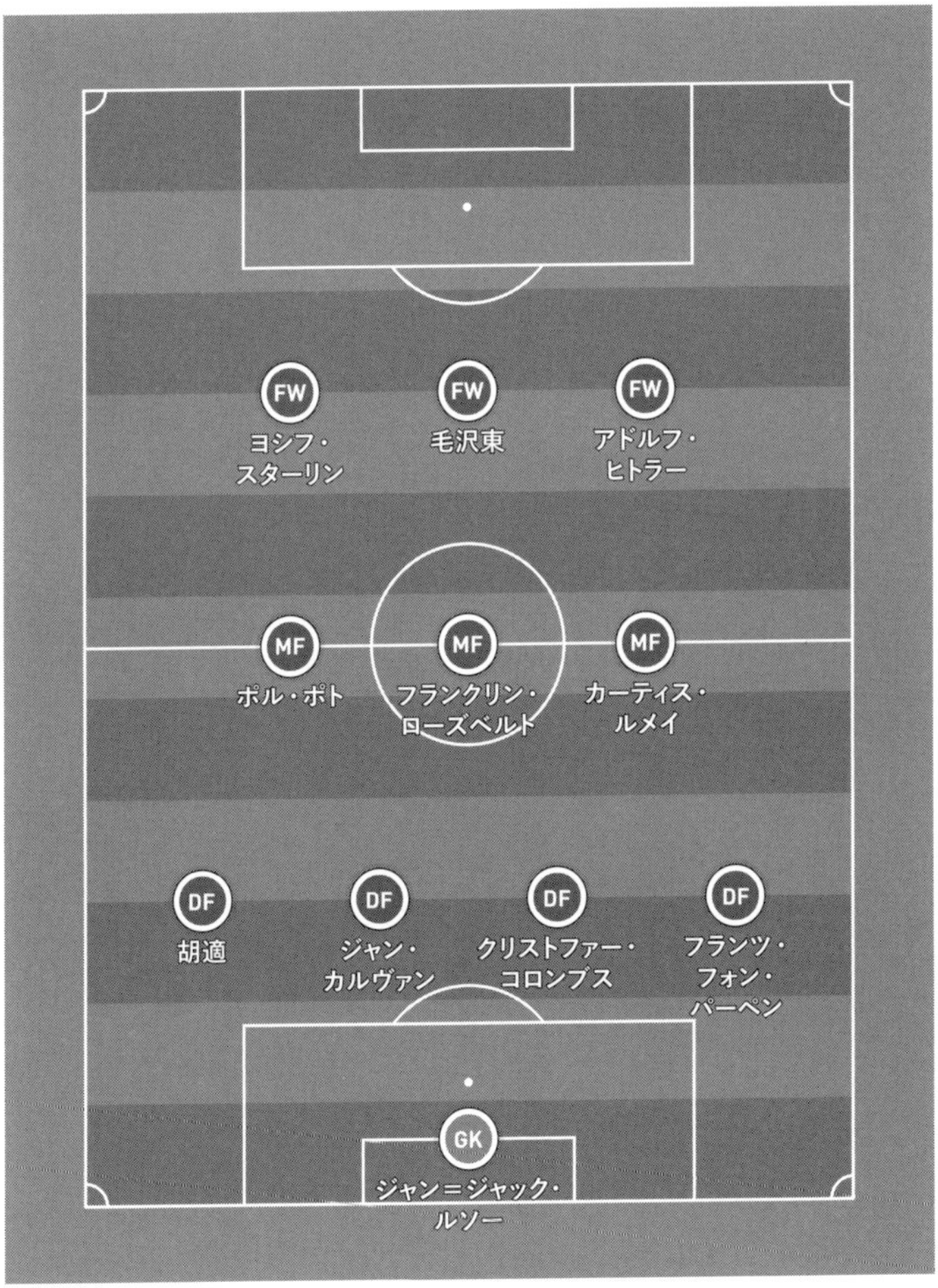

コーチ　カール・マルクス
監督　チャールズ・ダーウィン

✸プロローグ 人類を狂気の時代へ貶めた11人

ワールドカップなどサッカーの世界大会が終了すると、その大会のベストイレブン、つまり最も輝いた選手がポジション別に選ばれます。その裏で、ネット上に最も期待を裏切った「11人」も、どこかの誰かによって発表されます。その顔触れを眺めてみると、「なるほど」とうなずけるケースがほとんどです。

本書では、悠久の世界史をサッカーの世界大会に喩えてみました。

とりわけ、グループリーグを突破したベスト16がしのぎを削る決勝トーナメントを「世界近現代史」になぞらえ、ここ数百年の人類を狂気の時代へ貶めた、ワーストイレブンを選んでみました。

選考には難航を極めましたが、結果として選んだのが、これから紹介する11人です。なお、サッカーというスポーツは、ウクライナ戦争でも無類の攻撃性を隠さないイギリス人（ゲルマン系アングロサクソン人）によって完成されたゲームです。

「サッカーはシステムでやるものではない」と言ったのは、サッカー男子日本代表をワールドカップフランス大会（1998）へと導いた中田英寿ですが、あえて、本書では攻撃的な「4－3－3」と呼ばれるシステムを採用します。

理由は、戦闘における破壊力が現代史の特徴だからです。

また通常、こういった書物は虐殺に関わった人物の人となりにスポットを当て、その人物がやったことを解説します。しかし、本書ではさらに深いところまで——彼らを虐殺者へと導いた、科学や思想、宗教、国家の在り方といった「人間ならではの要素」まで読み解きました。ゆえに本書がテーマとするのは、単なる虐殺者たちの話ではなく、「人類はなぜ虐殺を行うのか？」という大きなものとなります。

戦争よりも革命のほうが多くの人を殺す

まずは、攻撃的なポジションであるフォワード（FW）のスリートップです。右からアドルフ・ヒトラー、毛沢東《もうたくとう》、ヨシフ・スターリンの3人です。

戦争はたしかに悲劇ですが、単純に死者の数でいえば、戦争よりも革命、つまり支配者が他国民を殺害した数よりも、革命家が自国民を「反革命」罪で殺害した数のほうが多いのです。

この前線のFW3人は、攻撃的かつ比較的直接的に虐殺を行ったといえます。彼らに共通する特徴は「社会主義者」であることで、トータルで1億人前後の生命が失われました。なお、社会主義者の概念についてはのちに触れます。

また、チームの司令塔の役割を担う中盤の選手をミッドフィルダー（MF）と言いますが、とりわけ得点に絡む攻撃的MFにアメリカの軍人カーティス・ルメイと、カンボジアの共産主義者ポル・ポト（本名はサロット・サル）を選びました。

ルメイはあの東京大空襲（1945）を指揮し、朝鮮戦争（1950〜）で100万人を殺害、キューバ危機（1962）ではキューバに設置されたソ連のミサイル基地の爆撃を、さらにベトナム戦争（1961〜）では北ベトナムへの継続的攻撃を主張しました。

ポル・ポトは「人類史上最大の虐殺」とも評されるジェノサイドの張本人です。1975年時点におけるカンボジアの人口の4分の1を抹殺しました。このふたりは、まさに虐殺の司令塔でした。

中盤の底をボランチと呼びますが、ボランチはポルトガル語で「ハンドル」を意味し、その役割はチームの舵取り、コントロールです。そしてその位置には、アメリカ合衆国第32代大統領フランクリン・ローズベルトを選びました。

広島と長崎に原爆を投下したのは第33代大統領のトルーマンですが、欧州の問題に介入しない外交政策である、アメリカの伝統的「孤立主義」を、ローズベルトはかなぐり捨てました。そして、欧州大戦の勃発と日本の真珠湾攻撃を誘発した彼こそが、「戦争の20世紀」を、そして虐殺につながる舵取り役を果したのです。

虐殺の起点となったDF陣

さて、守備陣であるディフェンダー（DF）に移りましょう。

ここには、中国の思想家である胡適《こせき》、フランスの宗教改革者ジャン・カルヴァン、イタリアの航海者クリストファー・コロンブス、そしてドイツの政治家フランツ・フォン・パーペンを選びました。

DFは守備に加え、相手からボールを奪ったら、攻撃の起点となります。ですので、ここでは「虐殺の起点」となったという視点から選びました。

胡適は社会進化論の「適者生存」理論に影響された人物です。1921年に中国共産党を設立した陳独秀《ちんどくしゅう》は若き頃、早稲田大学の前身の東京専門学校に留学しマルクス主義に触れ、雑誌『新青年』上で文学革命を展開しました。この雑誌『新青年』に「文学改良芻議《ぶんがくかいりょうすうぎ》」を掲載し、

「白話運動《はくわ》」という口語運動を提唱したのが胡適です。

白話運動とは庶民の日常言語で文章を書こうという運動であり、中国の文学者である魯迅《ろじん》の著作群がその先鞭をつけました。

中国は10世紀に成立した宋王朝から本格的に科挙《かきょ》によって官僚を登用する時代に入ります。宋以降、科挙に合格して官僚になり一族を潤わせることができたのは『四書五経《ししょごきょう》』などの小難しい文章を暗記した教養階級（士大夫階級《したいふ》）のみでした。このようにして固定化した階級社会に挑んだ階級闘争が、ロシア革命と同時期の文学革命だったのです。

文学革命こそが、革命国家・中華人民共和国の原点です。しかし胡適は、のちに日中戦争時に国民党の蔣介石《しょうかいせき》政権下で駐米大使となり、ローズベルト政権に日米開戦をそそのかす役割を担いました。

聖書の誤読が招いた悲劇

カルヴァンの主張を重んずるカルヴァン派の最大の特徴は聖書を読むこと、それも毎日読むことです。カルヴァン派はフランスやスイスではユグノー（一説では幽霊）、ネーデルラント（現在のオランダ）ではゴイセン（物乞い）として蔑まれます。カルヴァン派がイングランドでピューリタン（清教徒）と呼ばれるのは、カルヴァン派の教義をカトリックの儀式で包んだ英国国教会と比べてピュア（純粋）だからです。

しかし、ピュアに聖書を毎日読んだ彼らが、天から神が起こすことになっている「ハルマゲドン」を地上で起こしたのが、クロムウェルを指導者としたピューリタン革命（1642～49）でした。

しかも、それに先立つ1620年にメイフラワー号で新大陸に渡ったピューリタンの末裔がアメリカを建国します。そのアメリカ合衆国が、原爆を投下し、朝鮮戦争、ベトナム戦争で多くの人々を虐殺し、その後はイラクを攻撃し、ロシアとウクライナの戦争でも暗躍しています。アメリカが20～21世紀の地球を、まさに荒ぶる惑星にしたのです。

では、なぜそんなことになったのか？　元凶は聖書の誤読です。ピュアに聖書を誤読しているのだからタチが悪いのですが、それについてはのちに詳しくお話しします。

またカルヴァン派は、模範的な信者が長老として登用されグループを監督する長老主義を採っています。そこから、カルヴァン派はスコットランドでは「プレスビテリアン（長老派）」と呼ばれますが、アメリカのカルヴァン派では職者階級を固定せず、一般から選出される制度が根づきました。

これが「民主主義」の起源だと指摘する研究があるほどですから、カルヴァン派と民主主義は密接な関係にあります。そして民主主義は現世人類、とりわけアメリカが金科玉条の如く崇め祀るものです。民主主義の拡大こそが21世紀アメリカ帝国主義の正義であり「大義」、つまり「自分たちは正しい！」と信じ込んでいるのですから、アメリカは虐殺に突き進むのです。

ルワンダ虐殺も東京大空襲も同じ思想構造の産物

コロンブスは、メキシコのアステカ王国を滅ぼしたコルテス、南アメリカ大陸のインカ帝国を滅ぼしたピサロなど、コンキスタドール（征服者）に「虐殺のパス」を出した人物として選出しました。

イベリア半島から新大陸の中部南部に移住した彼らは、カトリック教会によるキリスト教の宣教と膨張を背景に、経済的野心と人種的蔑視をはらみながら先住民を教化し、虐殺し、抹殺しました。これはカルヴァン派のアメリカ合衆国がのちに新大陸北部で敢行した蛮行と何ら変わりありません。そういった意味でも、１９９４年に起きたルワンダ虐殺（これも本書で取り上げます）も東京大空襲も同様の思想構造の産物です。

パーペンはそのカトリック教会とナチス政権の間を取り持った人物です。

カトリック教会は、ナチス政権のユダヤ人ホロコーストにも、クロアチア人と組んだセルビア人虐殺にも目をつむりました。

✸革命、そして虐殺と略奪に大義を与えたルソー

そして、ゴールキーパー（GK）には、ジャン＝ジャック・ルソーを選出しました。GKは勝利の（敗北の）要です。キーパーのミスつまり失点はそのまま敗戦に直結しますが、ルソーは世界史（人類史）の敗戦の張本人と言えます。

フランス人啓蒙思想家ルソーの代表作が、1762年に発表された『社会契約論』ですが、その書のキーワードは「一般意志（人民の意志）」です。中学生の社会科の教科書にあるように「国民主権」という考え方の基礎となりましたが、受け止め方次第で、これほど恐ろしい言葉はありません。

ルソーの思想は穏健に適用すれば、たしかに民主主義につながります。しかし「一般」「人民」の定義を怨みに燃えた特定の「社会階級」に適用した場合には、それは革命と虐殺と略奪に大義を与えるものにもなるのです。

たとえば、ルソーに会って直接薫陶を受けたジャコバン派のロベスピエールは、フランス革

命をギロチン（虐殺）革命に変容させました。ポル・ポトは旧宗主国フランスで革命思想にかぶれました。中華人民共和国の周恩来《しゅうおんらい》と鄧小平は、若き日にフランスに留学しています。習近平とマクロン仏大統領の親密ぶりの背景には、ルソーという共通因数つまり親和性があるのかもしれません。その移民国家フランスは、今や略奪と分断で大揺れです。

さて、ここまでは世界史ワーストイレブンの選出理由をざっとお話ししてきましたが、スポーツの試合において、ゲームプランを練るのは監督とコーチです。そこで私が選んだのが、監督にチャールズ・ダーウィン、コーチにカール・マルクスとなります。彼らのゲームプランについては、いささか硬めな第1講でお話ししましょう。

第1講

宗教と科学、そして思想の変異

賛否両論の嵐が巻き起こった『種の起源』

皆さんはチャールズ・ダーウィンとカール・マルクスが「メル友だった」と聞いたら驚きますか？　前者は自然科学者、後者は経済学者ですから縁がなさそうですが、ふたりは文通をしていたのです。それどころか、実際のところはマルクスがダーウィンの思想に感化されたのでした。偶然にも、ダーウィンの『種の起源』とマルクスの『経済学批判』は、ともに１８５９年に出版されています。

ダーウィンの思想はマルクスのみならず、世界中の社会学者、思想家などの幅広い分野の知識層に多大な影響を与えました。

『種の起源』においてダーウィンは、「生物は自然淘汰によって適者が生存し、その蓄積によって進化する」と唱えています。これがいわゆる進化論ですが、「進化」という考え方はダーウィンが考案したものではありません。古代の哲学者たちはすでに、生物がある形態から別の形態に変化するという理論を立てていました。

進化論の代名詞といえば「適者生存」ですが、これはダーウィンではなく、イギリスの哲学者、社会学者であるハーバート・スペンサーの造語です。

スペンサーはダーウィンの進化論の立場から、その理論を人間社会へと持ち込みます。人間社会でも生物界と同じように生存闘争においては、より環境に適応した者が勝利者として生存できる、と考えました。この考えをスペンサーは「適者生存」という言葉で表現したのです。

このように、ダーウィンの進化論は人間社会、とりわけ当時、勃興しつつあった資本主義における自由競争の思想と結びつき、「社会進化論（社会ダーウィニズム）」と呼ばれる思想を生み出します。スペンサーは社会進化論の代表的な思想家でした。

ダーウィンは『種の起源』の結びで、こう述べています。

「生命が当初は創造者によっていくつかの、あるいはひとつの形態のものに吹き込まれた」

ダーウィンは化石の記録が空白であることを嘆き、それが、彼自身の学説を否定する材料になり得ることも認めていました。

ダーウィンが生きた時代のヨーロッパでは、キリスト教が社会全体に絶対的な影響力を持ち、「人間を含む生物は神が創造した」と信じられていました。

こんな状況下であれば、『種の起源』が刊行されると同時に賛否両論が巻き起ったのも当然です。

こうして、進化論と宗教の対立が始まったのです。

✹進化論が与えた残虐な戦争をしかけるための口実

『種の起源』はキリスト教世界を揺るがしましたが、当のダーウィンは生命の源について、どのように考えていたのでしょうか。それについて論ずる際に、次のように述べています。

「神の存在を確信させる要因は、感情ではなくて理性と関係があり、私の心を動かす。これは過去を振り返ったり、遠い将来のことを考えたりする能力を持つ人間を含め、この広大ですばらしい宇宙が、まったく偶然に、あるいは必要に迫られてできたと考えることが極めて困難というか、むしろ不可能であることに起因する。このことを思い巡らすと、私は第一原因に注意を向けざるを得ない気持ちになる」

ダーウィンが、神をどのようにとらえていたのかはわかりません。しかし、人間が観察できる小さな変化からすれば、これまで誰も観察してこなかった、はるかに大きな変化（神による奇蹟）も生じ得る……そう言いたかったのではないでしょうか。

ちなみに、SF小説で有名な小説家H・G・ウェルズは著書『世界史概観』において、進化論がどのように発達したかを説明し、次のように述べています。

「進化論は従来の道徳律に代わる建設的なものを備えていなかった。その結果は道徳秩序の混乱である」

そして、ウェルズは次のように続けます。

「繁栄した者たちはみずからを〝生存競争〟の勝利者とみなした。それは強く、狡猾な者たちが弱く信じやすい人々を打ち負かすことであった。それで人間の群れのなかの大きな犬のような者が他のものを征圧し、服従させるのは当然であるとみなされた」

つまり、進化論は残虐な戦争をしかけるための口実を、キリスト教世界に与えたのです。

一方で、当時の世の中には、ダーウィンの理論を聖職者の権力を弱める恰好の道具とみなす人たちがいました。マルクスもそのひとりでした。

マルクスはダーウィンの『種の起源』を読み、これは神に「致命的打撃」を与えるものだと言って歓喜した、と伝えられています。そして、「ダーウィンの著書は非常に重要であり、歴史における階級闘争の根拠となる」とも言ったとされます。

マルクスは宗教を「民衆のアヘン」と批判しています。マルクスが宗教を完全否定したというのは曲解だとしても、支配層による支配システムの維持に宗教が利用され、聖職者が加担している点については批判しました。

進化論はキリスト教世界に、戦争という残虐行為の口実を与えました。そして同時に、進化論は共産主義を台頭させた責任の一端を負うことになったのです。

こうして、『種の起源』を中心に、壮絶な争いが展開されます。

1860年にドイツの司教たちは次のように主張しました。

「我々の先祖は直接神により創造されたのである。ゆえに、人間は人体に関する限り自然発生的な変化によって不完全な原始的状態から生じたものであるとあえて力説する者の見解は、完全に聖書と信仰に反している、と我々は断言する」

かたや共産主義諸国は、「適者生存」という進化論的教義に立脚した世界支配を追求しました。他の諸国家も生存のための闘争に加わり、その結果が、核兵器を含む大規模な軍備拡張競争とつながったのです。

科学主義の登場は神と人間の関係をどう変えたのか？

ではここで、ダーウィンとマルクスに至る思想の流れを見てみましょう。

「哲学と宗教は相容れない」と言ったのは、19世紀のドイツの詩人ヘアベックです。

哲学つまり「知恵に対する愛」という意味のギリシア語の語根に由来するこの語は、人間の経験の多様性に関する考察、あるいは人間にとって最大の関心事となっている論題を、合理的、体系的、組織的に考察することを指します。

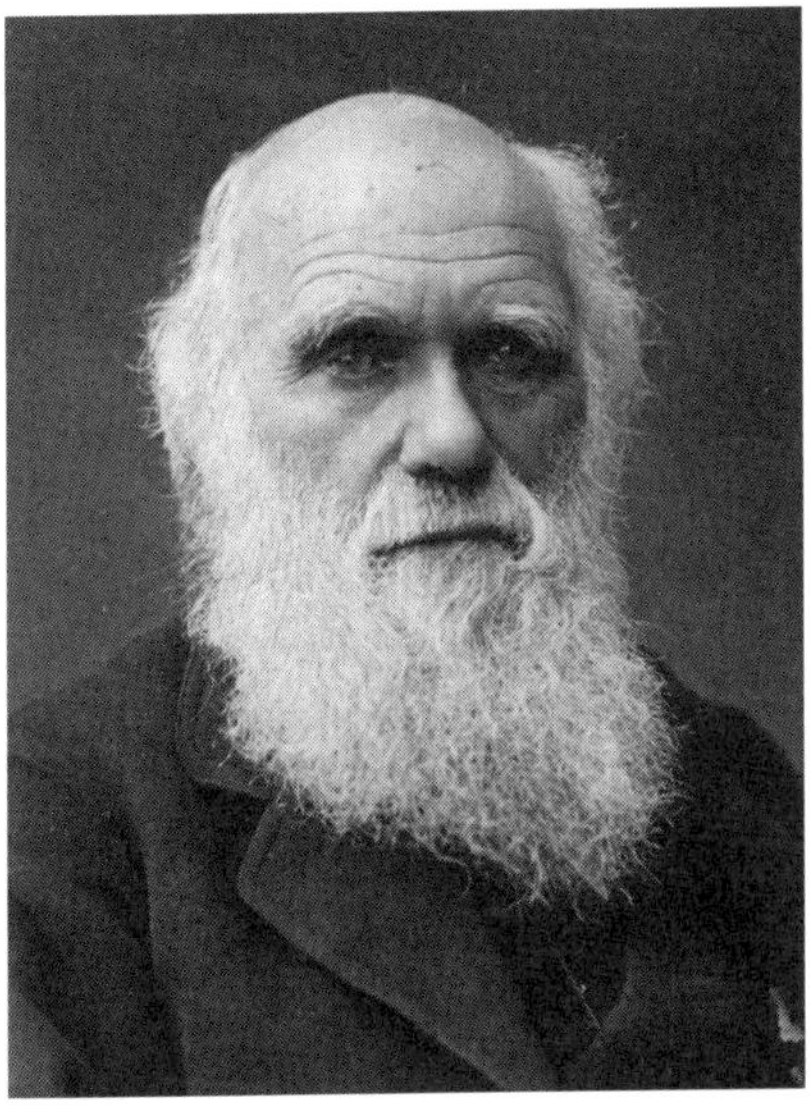

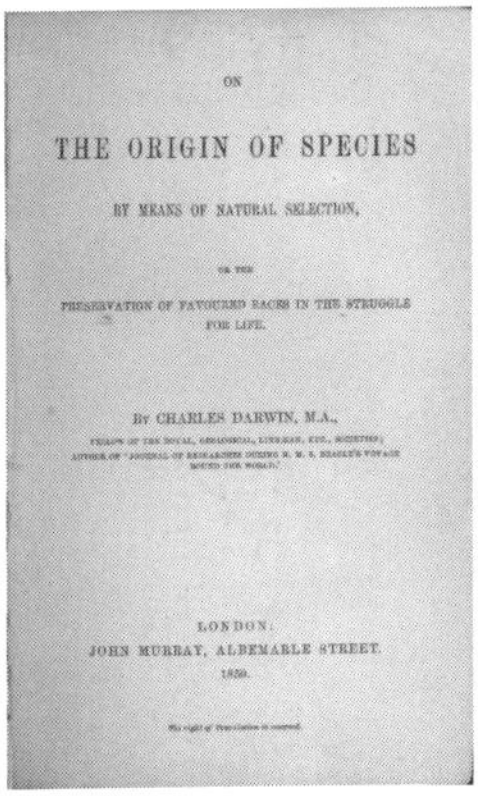
ON

THE ORIGIN OF SPECIES

BY MEANS OF NATURAL SELECTION,

OR THE

PRESERVATION OF FAVOURED RACES IN THE STRUGGLE FOR LIFE.

BY CHARLES DARWIN, M.A.,

LONDON:
JOHN MURRAY, ALBEMARLE STREET.
1859.

チャールズ・ダーウィンと
『種の起源』(1859)

カール・マルクスと
『経済学批判』(1859)

Zur Kritik

der

Politischen Oekonomie

von

Karl Marx.

Erstes Heft.

Berlin.
Verlag von Franz Duncker.
1859.

一方で宗教は「人間の経験の多様性」ではなく、神からの啓示に基づいています。そして、中心にあるのは創造者の関心事であって、「人間にとって最大の関心事となっている論題」ではありません。ですが哲学と同様、人間の経験に基づいて人間の関心事が最重要なことであると主張してきたのが、キリスト教世界なのです。

17世紀になると「科学主義」と呼ばれるものが生まれました。科学主義はそれ自体がひとつの宗教となり、神聖にして侵すべからざるものとなります。科学は新しく興奮に満ちており、宗教は時代遅れで退屈なものと思われるようになりました。

このような風潮を助長したのが、17世紀と18世紀におけるヨーロッパの啓蒙運動です。この運動は知性と物質面での進歩を強調し、批判的論議を支持して、政治や宗教の権威や伝統を退けました。

宗教に対して懐疑的だったドイツの哲学者カントは〝啓蒙〟を、「人間がみずから課した指導から解放されること」と定義しました。そして、カントは「人間個人が、政治や教会や聖書の権威者から自分の意見を指示してもらうのではなく、道徳・宗教・政治に関して自分で思考する勇気が与えられる過程」と定義したのです。

啓蒙思想に心酔した人々は、社会の種々の病弊の多くの責任が宗教にあると考えました。社会は、神と自然法によってあらかじめ定められた青写真に則ってつくり上げられるべきであるとする考えは、社会は人間の企てによってつくり上げられた、あるいは、そのようにつくり上げることができるという考えに取って代わられました。

こうして人間愛を実践し、人間の福祉を第一とする、世俗的かつ社会的な人道主義が台頭し、そこから現代の世界の哲学理論および、人間を中心に社会を考える社会学理論の大半が生み出されることになります。

こうした理論のひとつが、フランスの啓蒙思想家ルソーが唱道した「一般市民の宗教」です。その中心になっていたのは、神たる存在やその神への崇拝ではなく、社会および人間との関わりを関心事にすることでした。

科学と折り合いをつけようとするカトリック教会

啓蒙思想が主流になっていた17世紀後半から18世紀にかけての時代には、自然宗教としても知られる「理神論」が流行しました。理神論は、神は創造主ではあるものの、創造後の世界は神の支配を離れ自己の法則に従って働くとする、つまり、神を捨てることなく科学を受け入れた妥協の産物でした。この理神論者のなかには、ほぼ完全に聖書を退けるところまでいった人々もいました。

また、18世紀後半からイギリスで産業革命が起きました。産業革命を契機として、巨万の富を築く資本家が登場し、物質主義が宗教のごとく台頭するようになります。

イギリスの劇作家バーナード・ショーによる三大戯曲のひとつ『バーバラ少佐』のなかにこんなセリフがあります。

「私の宗教かね？　私は億万長者だ。それが私の宗教だよ！」

この劇の初演は1905年ですから、まさに社会の変化を象徴したセリフと言えるでしょう。

19世紀の中頃になると、フランスの哲学者、社会学者のオーギュスト・コントが「人類教」を創始します。

人類教とは愛を基本とし、人類の幸福のために奉仕することを人道とする倫理的な新宗教です。そしてコントの影響を受けたのが「適者生存」のスペンサーでした。

1859年にダーウィンの『種の起源』が発表されたあとに、宗教と科学の激しい対立が生じたことはすでに述べました。イギリスとアメリカの宗教指導者たちは、当初、進化論を強い言葉で非難しましたが、反対意見はやがて収束していきます。

そして聖職者たちのなかには聖書と進化論、双方の折り合いをつけて理解を試みようとする者も現れます。進化論が認知され、普及するにつれ、聖職者たちも否定することが難しくなり、スペンサーも「社会はもはや、宗教と矛盾しない進歩の枠組みに向かって動いている」と述べています。また、カトリック教会の総本山バチカンも、『種の起源』を禁止目録に掲載しませんでした。

なお、マルクスの協力者、社会主義者で哲学者でもあったフリードリヒ・エンゲルスは、「社会主義はやがて宗教に取って代わり、社会主義自体が宗教色を帯びるであろう」と予言しています。

ここまでは、世界史において宗教、科学、思想がどのように関わり合いながら変異したのか

ハーバート・スペンサーと
『生物学の原理』（1864）

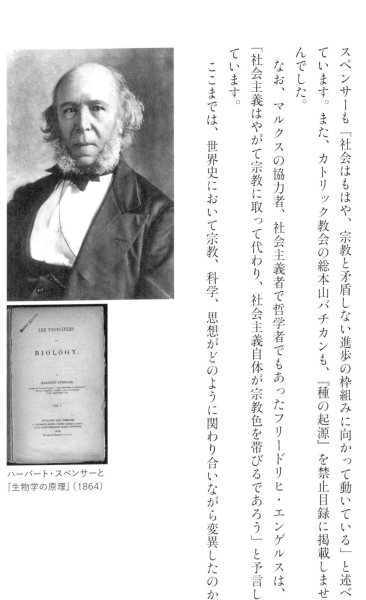

を見てきました。

次講では、ダーウィン、マルクスらの理論、思想がどのようにしてスターリンやヒトラーといった虐殺者を生み出していったのか？　それを読み解いていきたいと思います。

第2講

設計主義

✹権力者の捻じ曲がった理念・理想が国民の命を奪う

電車の中吊り広告で見たのですが、「女性がパートナーの男性の身長で理想と考えるのが176センチ」だそうです。

その根拠はともかく、ある母親が「よし、可愛い私の息子の身長を絶対176センチにする！」と決意したとします。ところが息子が18歳になった段階で身長はまだ170センチ……あと6センチ足りません。「あと6センチ伸ばそう！」と考えた母親が息子の頭をやっとこで引っ張ったら、どうなるでしょうか。

首が抜けて死んでしまうかもしれません。死ぬことはなくとも、大怪我をしてまともな日常生活は送れなくなるでしょう。

また、ある父親が「息子の偏差値は70が理想的。絶対に70にする！」と決意します。ところが息子はどうしても偏差値60さえ超えることができません。そこで父親が息子を夜も眠らせず、連日徹夜で勉強させたらどうなるでしょうか。

息子は確実に壊れます。下手すると、睡眠不足で衰弱死です。

あまりに稚拙な喩え話ではありますが、これが旧ソ連のウラジーミル・レーニン、ヨシフ・

スターリン、中国の毛沢東、アドルフ・ヒトラーのナチス・ドイツ、そしてカンボジアのポル・ポト（別名サロット・サル）が行ったことであり、彼らによる大量虐殺を産んだ理由なのです。

彼らは、自分たちの理念・理想で社会をデザイン（設計）しようと考えました。その結果、とんでもない数の人々を殺したのです。

いったい、彼らは何をやろうとしたのか？ 何を考えていたのか？

これから、人類の歴史に大きな傷跡と禍根を残した「悪」の正体に迫ることになりますが、その前に、20世紀がどのような時代だったのか？ それについて考えてみましょう。

20世紀を考えるうえでの第一のキーワードが「社会主義」です――。

ファシズムとは消費財の一元化

「社会主義」と聞いて、皆さんは右翼と左翼のどちらをイメージしますか？ 旧ソ連や中国といった国から、「左翼」と答える人が多いのではないでしょうか。

では、右翼と左翼の定義とは、いったい何でしょう。

右翼といえば、日本では「国粋主義者」とか「天皇崇拝者」というイメージでしょう。そして左翼といえば、「反体制派」であり、かつては「共産主義者」を指しました。

ところで、古代ギリシアの思考に「ノモス」と「ピュシス」という二分法があります。ノモスとは「作為」や「設計」、ピュシスは「自然」を意味します。それを踏まえて「社会主義」を定義してみましょう。

社会主義とは「社会を合理的、作為的に設計すること」です。ですから、右翼も左翼もこの二分法に従えば社会主義となります。古代のギリシアの思考的には、右翼も左翼も社会主義であり、社会主義はノモスとなります。

もともと右翼と左翼という言葉は、フランス革命の国民議会のときに、議長から見て右側に保守的勢力が、左側に革新的勢力が座ったことに由来するとされています。

一方、資本主義とは社会に手を加えないことです。つまり、「社会を設計しない」ことなので、ノモスでなくてピュシスとなります。

では、右翼の社会主義、言いかえるなら「ファシズム」についてお話ししましょう。

ファシズムとは「ファッショ（束ねる）」や「ファスケス（束ねあわされた棒）」といった、束ねるという意味の言葉に由来します。

たとえば、私が授業中に教室のいちばん後ろの席にまで届くような声でこう言ったとします。

「いいか、来週から男子生徒は私と同じ服装で授業を受けに来なさい！」

棒を振り上げ、男子生徒の服装を私と同じものに束ねれば、それがファシズムということになります。

服というのは究極の消費財です。ファシズムとは、消費財の一元化のことであり、買い物の対象となる「モノ」を一律に定めることなのです。

ファシズムはやがてショーヴィニズム（排他主義）へ

ファシズムの代表格が、ナチス・ドイツ（国民社会主義ドイツ労働者党、党首ヒトラー）ですが、ナチス・ドイツは国民の車をフォルクスワーゲンひとつと定めました。理由は諸要素に鑑みたところ、最も合理的な形であり、最適規格だと判断したからです。

たしかに効率性やデザイン面で最適規格化をはかるならば、車の型はひとつに収斂されます。

日本には国民休暇村という公的な休養施設があります。このようなキャンプ場など、レクレーション施設を併設した休養施設も、ナチス・ドイツが始めたものでした。

また、団体の海外旅行を考えたのもナチス・ドイツです。団体旅行だと安上がりで効率的に旅行できます。団体旅行の費用は賃金からの積み立てで賄うという、ナチス政権における労働者の福利厚生は当時、最高水準でした。

このように、車や衣類、余暇の過ごし方や旅行といった消費財を一元化、言いかえるなら経済の出口を一元化するのがファシズムなのです。

試しに日本の消費財を一元化してみましょう。

「日本人女性が夏を過ごすのに最も適した衣類は何だろうか」と考えたとします。そして、通気性が高くて湿度の高い日本向き、なで肩の日本人の体形に合う、綺麗な花もデザインされている……などといった理由で、「浴衣」という結論が出たとします。

そして、日本人の女性の夏の衣類を一元化するなら「浴衣がベストだ」という考えが、日本全体で共有されるようになると、どうなるか？

「日本の浴衣は素晴らしい」「日本って素晴らしい。粋だね」「日本の伝統って素晴らしい」……という思考の連鎖になりかねません。

このように消費財を一元化することでファシズムの傾向が強くなると、社会は必然的にショーヴィニズム（排外主義）になります。慣れ親しんだ生活習慣、日本の習俗、日本の伝統・歴史が世界で一番である……そして、極端な例でいえば、「日本は神の国である」といったナショナリズム的な考え方も台頭してくるのです。

軍国主義が全盛だった１９３０～40年代前半の当時の日本は、まさにそんな時代だったのかもしれません。

完成した「KdFワーゲン」の
発表会でスピーチするヒトラー
（©ÖNB）

「国民の余暇の充実」を目的として
組織された「歓喜力行団」のクルーズ客船
「ロベルト・ライ」と同客船の進水式で
スピーチするヒトラー（©ÖNB）

✹経済の入口を一元化するのが左翼の社会主義

対する左翼の社会主義とはどんなものでしょうか。

左翼の社会主義とはマルクス・レーニン主義で、共産主義と呼ばれます。

こちらはいったい何を一元化するのでしょうか。

「生産手段」、つまり、経済の入口を一元化するのです。

マルクス・レーニン主義の代表格は旧ソ連ですが、旧ソ連では、集団農場（コルホーズ）と国営農場（ソフォーズ）という制度がありました。

前者の農民は一定の私有地を所有することはできましたが、後者には私有地がいっさいありませんでした。そして両者ともに言えるのが、トラクターも倉庫も農場も原則的には「全部が国のものである」ということでした。

では、右翼と左翼の両者に共通する点とはいったい何でしょうか。

それは「結果の平等」です。

素直に考えれば、理念としての「平等」は素晴らしいものかもしれません。

学生にファッションの一元化を課す「制服」という制度は、貧富の差が可視化されることとなく、学生たちの校内における「平等」を担保できるシステムとも言えます。

この経済的平等という理念を、国民の持ち物を全部を均一化することによって平等だとみなすのがファシズム。経済の出口である消費を一元化することで平等だとみなすことはすでに述べました。

一方、経済の入口、つまり生産の部分で生産の手段を皆のものにする、トラクターも畑も倉庫も皆のもの、それをもって平等とみなすのが左翼の経済政策です。

しかし、倉庫に国民性はありません。倉庫は倉庫でしかないからです。畑も畑でしかなく、国民性はありません。衣類なら、いかにも日本固有のもの、中国固有のもの、ドイツ固有のものなどがありますが、ドイツ固有の倉庫、ロシア固有の倉庫、中国固有の倉庫なんてものはありません。

右翼の社会主義（ファシズム）とは異なり、左翼の社会主義における最適格化の基準はナショナリズムが入り込まず、客観的なものになります。理屈だけいえば、どの国から見ても「いいモノはいい」「悪いモノは悪い」というものです。

左翼の社会主義――つまり、マルクス・レーニン主義、共産主義は、民族や国家の違いを越えて「インターナショナリズム」となるのです。

✸ナショナリズムとは何か

インターナショナルの「インター」は、「溝を埋める」という意味です。

ナショナルの語源の「ナチオ」という言葉の起源は、イタリアのボローニャ大学に由来します。

11世紀の北イタリアに大学が開校し、ヨーロッパ各国から学生が集まってきました。ところが、言語が異なるヨーロッパ各国から学生が集まってきたのですから、誰とも言葉が通じるわけではありません。するとボローニャ大学では、同言語の人間の溜まり場ができるようになり、その集合体が「ナチオ」と呼ばれるようになります。

「ナチオ」の派生語である「ナショナル」とは、簡単にいうと「同郷」を意味します。

すなわち、「ナチオ」→「ナショナル（国民）」とは、「同言語集団によって形成された集合体」ということになります。

18世紀末のフランス革命と19世紀初頭のナポレオンの時代と経て、19世紀は「ナショナリズムの世紀」と呼ばれるようになります。そして、ヨーロッパでは１９１４年に始まった第一次世界大戦の結果、7つの新しい国民国家が王家による支配から脱し誕生しました。「ナショナリズム」には善き側面があります。領主と農奴、高位聖職者と平信徒、資本家と労働者という階級を取っ払い、「○○○人」とひと括りにして一体感を醸し出し、新たなアイデンティティをつくり出し、対立を緩和できるからです。

とはいえ当然のことですが、どの集団、どの国民国家にも、強者と弱者、支配者と被支配者、金持ちと経済的弱者、偉い人と偉くない人、偉そうな人と偉そうにできない人がいます。

たとえば、A国においてαがβを搾取し、B国においてもαがβを搾取していると仮定します。α＝資本家階級、β＝労働者階級であり、A国でもB国でもβは立場が弱く、αに対しては文句を言えません。

そこで、弱い立場を跳ね返すために、A国のβとB国のβ、さらにC国のβ……といったように、労働者階級で弱者であるβがナショナル（国民国家）の溝を埋める（インター）。つまり、溝を埋めて横断的につながっていく。これがインターナショナルの原理です。

イタリアサッカー1部リーグ「セリエA」のチームにインテル・ミラノ（正式名称：インテルナツィオナーレ・ミラノ）というチームがあります。インテル・ミラノというチームの成り立ちは、もうひとつの名門ACミランがイタリア人中心のチームだったのに対し、インテルは外国人だけを集めてつくられた、まさに「インテルナショナルなチーム」、いうなれば、「溝を埋めた」世界選抜という意味なのです。

しかし、インターナショナルとは決して「世界の皆さん、仲良く手をつなぎましょう」という平和的な意味ではありません。皆でくっついて、「イチニーノサンで、世界同時革命を起こそう！」という、物騒な傾向を持つ言葉でもあるのです。

インターナショナルを標榜したマルクス・レーニン主義というのは、世界同時革命を目指した主義なのです。

労働者の団結と解放を目的とし、1864年にロンドンで設立された、世界最初の労働者の国際組織が第一インターナショナルです。創立宣言はマルクスによって起草されました。

第二インターナショナルは、フランス革命100周年の1889年に設立され、ドイツ社会民主党が中心を担い、そして第三インターナショナル（コミンテルン＝Communist International）は1919年、ボリシェビキ（ロシア社会民主労働党の多数派でロシア共産党の前身）を中心に設立されました。

✹「結果の平等」を追い求めた「設計主義」の敗北

ここで左翼の社会主義の代表格、マルクス・レーニン主義がいったいどんなものだったかを考えてみます。

マルクス・レーニン主義の国は、中華人民共和国、かつてのソヴィエト社会主義共和国連邦、戦後の東ヨーロッパ諸国、キューバなどです。アジアではベトナム社会主義共和国、かつてのビルマ(現ミャンマー)、カンボジアなどが挙げられます。

1989年に「ベルリンの壁」が崩壊して冷戦が終わりましたが、それまでは地球の半分、あるいは3分の1はマルクス・レーニン主義の国でした。

一方、右翼の社会主義つまりファシズムの代表格は、第二次世界大戦時の日本、ドイツ、イタリアです。

右翼の社会主義は第二次世界大戦の終戦となった1945年に終わり、冷戦が終わった1989年に、多くの国が左翼の社会主義を捨てたのです。

これが20世紀の世界史の基本構図です。

そして20世紀には、社会である種の実験をすることは不可能であることが証明されました。

「社会を作為的に、合理的に設計しようと試みるのは不可能である」

つまり20世紀とは、「結果の平等」という理想に走って社会を建設しようとすることが、結果として大きな悲劇をもたらすことが明らかにされた世紀であり、その悲劇こそが虐殺でした。「結果の平等」という理想に走り、社会をデザインした（そして失敗した）という意味においては、右翼の社会主義も左翼の社会主義も、つまりファシズムもマルクス・レーニン主義も同根です。

毛沢東が7000万人、スターリンが3000万人、そしてヒトラーが600万人――彼らが社会をデザインしようとした結果、これだけ多くの人を死に追いやったと私は推定しています。

この講の冒頭で、息子の身長を伸ばすために頭をやっとこで引っ張ろうとする母親、息子の偏差値を70にするために連日徹夜で勉強させようとする父親を登場させましたが、レーニンやスターリン、毛沢東やヒトラーなどがやったこととは、まさにその母親や父親と同じだったのです。

「設計主義」とは経済学者フリードリヒ・ハイエクの造語で、資源の分配、市場の需給などに政府が積極的に介入・規制するという考え方です。ハイエクはこの言葉で社会主義を批判しましたが、まさに、「結果の平等」を追い求めた「設計主義」が行きついた先にあったのは、多くの人命を奪う虐殺という悲劇でした。

では、ここからは、私が選んだ「人類を恐怖と狂気の淵へと貶めた」ワーストイレブンから、ヒトラー、スターリン、毛沢東の3人のフォワード（FW）、そして、2名のミッドフィルダー（MF）からポル・ポトを取り上げ、彼らがいかなる設計主義によって虐殺を行ったかを見ていきたいと思います。

社会を思うままに設計（デザイン）できるとする権力者の驕りを「設計主義」という言葉で批判したフリードリヒ・ハイエク

アドルフ・ヒトラー
「ユダヤ人排斥」「反共産主義」を掲げた独裁者

美しきドイツ人のみの社会を目指す

ヒトラーはもともと画家志望、建築家志望の青年でした。画家として建築家として一流になれなかったため、今度は政治家として社会を自分でデザインしようとしました。

絵を描いてミスをしたなら、消して描き直すか、それができなければ新しいキャンバスに取り替えればいい。建築で材料を間違えたのならば、取り替えればミスを帳消しにできます。これ、デザインミスだ……失敗しちゃったら、社会でそれをやったらどうなるでしょうか。

では、社会でそれをやったらどうなるでしょうか。

た……これで何百万人もの生命が失われるのです。

そして、ナチス・ドイツつまりヒトラーのデザインにおけるキーワードは「人種」でした。元祖ジェノサイド、ヒトラーは美しきドイツ人をデザイン、つまり設計しようとしました。

画家と建築家志望の青年だったヒトラー。
その夢が破れた彼は、今度は政治家として社会をデザインしようと考えた

600万のユダヤ人を殺し、そして美しきドイツ人だけで構成される社会を設計しようとしたのです。

芸術展を開催した際には、エロティックな女性の裸体を並べ観覧者のアーリヤ系ドイツ男性の性欲を高めました。また、ヒトラーの時代、金髪で瞳の青い子ども（金髪で青い瞳はアーリヤ人の理想）を連れた母親は、スーパーのレジで優先的に買い物ができました。これがヒトラーの指向した社会デザインです。

無類の読書家だったヒトラーは夜型人間で、夜通し本を読んでいたようです。そして20世紀の前半のヒトラーに多大なる影響を与えたのが、19世紀の後半に流行った「進化論」でした。当時の進化論は、むしろ現在より斬新かつ新進気鋭の学説だったと推察されますが、ヒトラーはかなり傾倒していたようです。

ユダヤ人とマルクス主義（共産主義）を嫌悪したヒトラーは、独特の来歴から反ユダヤ的な思想を持っており、それゆえゲルマン民族などの美しきアーリヤ人種のレーベンスラウム（生存圏）を東方に拡大するために、ユダヤ人とスラヴ民族は消えるべき、淘汰されるべきだと考えました。

ユダヤ人をネズミに喩え虐殺したナチス

ヒトラーの部下のヒムラーは、ユダヤ人虐殺をネズミ退治に喩え、「高潔な者だけが下水道に入り、地上の文明を守るのだ」と喝破しました。

そのため、「ネズミ→ユダヤ人→ネズミ→ユダヤ人」という画面が繰り返されるプロパガンダ映画をドイツ国民に見せて、ドイツ人の脳裏にユダヤ人もしくはスラヴ人はネズミと同じなのだ、駆除されるべき集団なのだという考えを刷り込んでいったのです。

そして、「ホロコースト」を敢行します。

ホロコーストとは、ナチス・ドイツ政権とその同盟国、協力者による、ヨーロッパのユダヤ人約600万人に対する国家ぐるみ、組織的な迫害と虐殺のことです。

ホロコーストの直接的な原因は、第二次世界大戦時のドイツの食糧配給事情から、ユダヤ人に回す食糧が枯渇したことでした。つまり、ガス室は口減らしの道具だったのです。

第一次世界大戦時、ドイツでは76万人の餓死者を出しています。原因はイギリスの経済封鎖とドイツの農業政策の失敗でしたが、ヒトラーは、このドイツ人大量餓死の責任をユダヤ人に転嫁し、復讐したのでした。

アウシュビッツ強制収容所の所長ルドルフ・ヘス

アウシュビッツ第二強制収容所・ビルケナウに到着し、選別を受けるハンガリーから連行されたユダヤ人たち

親衛隊長ヒムラーの意志により、アウシュビッツは古今最大の人間撲滅センターとなりました。彼はナチ党のさまざまな高官や親衛隊の将校をアウシュビッツへ派遣して、彼らが自分の眼でユダヤ人撲滅の過程を見ることができるようにしました。

アウシュビッツ収容所の長官であったルドルフ・ヘスは盲目的で従順な官僚であり、1947年4月に戦犯としてアウシュビッツで絞首刑に処されました。

彼は「自分がいつの間にか、第三帝国（ナチス・ドイツ）という大撲滅機構の歯車の一部となっていた」と回顧しています。

ヘスにとっては本当のところ、山なす死体を見たり、絶えず死体焼却による臭いが充満する収容所の環境は、必ずしも快いものではなかったようです。

ヘスは労働収容所へ移送された囚人たちは、直接、ガス室に連れてこられていたなら、多大な辛酸を舐めることはなかったと考えていたようで、次のように述べています。

「囚人たちは計画的に汚物にさらされた。ナチの収容所内の囚人たちは自分たちの糞便のなかで溺死したのだ。ガス室だけがアウシュビッツではない」

✹出自にコンプレックスを抱えていた独裁者

「ハイル・ヒトラー！」という言葉は、誰でも一度は聞いたことがあるでしょう。これは「ヒトラーに救いあり！」という意味の言葉でした。

ヒトラーはナチ党が大会を開いたニュルンベルクの競技場の高さ300メートルの演壇上に、

144本の巨大な柱を立てました。それは『新約聖書』の「ヨハネ黙示録」に登場する、キリストとともに悪人を成敗する限定人数14万4000人の数に由来しました。

ヒトラーが政権の座に就いた1933年、全ドイツのデパートの80パーセントがユダヤ人の所有でした。1880年までさかのぼると、フランクフルト市の銀行の85パーセントがユダヤ人による経営でした。これがヒトラーのターゲットとなりました。

また、ヒトラーは自分の出自に大きなコンプレックスを抱いていました。

「私はどの一族なのかわからない」

ドイツ首相に就任する3年前の1930年に、こう述べており、ヒトラーは自分の血筋をひた隠しにしました。

ヒトラーの両親はいとこ同士で、代々近親婚の一族でした。またオーストリア、グラーツの母方の親戚ファイト家は統合失調症の一族でした。

ヒトラーの父方の家系にはユダヤ人疑惑があります。権力の座に就いたあと、みずからも顧問弁護士に家系調査を行わせ、ヒトラー家の系図をつくり直すことに成功しましたが、迂闊にも作成者がユダヤ人の名前を家系図に入れてしまいました。

ポーランドのある地域には、ヒトラー姓のユダヤ人が住む地域があり、ニューヨークのエリス島の移民局には、ヒトラー姓のユダヤ人の移民記録が残されています。

なお、絶対的な権力者ヒトラーの悩みの種に、甥ウィリアム・パトリック・ヒトラーの存在がありました。ヒトラーはウィリアムから「ドイツで出自のことを暴露する」と脅迫されていたからです。さらにはウィリアムが移住先のアメリカで米海軍に入隊するという裏切り行為もしますが、彼もまたヒトラーと同様に常軌を逸した行動をとる男だったのです。

ヒトラーは、他者とのくつろいだ会話が苦手だったと伝えられています。彼の人生に常に付きまとっていたのは、「恐れ」だったのではないでしょうか。

ヨシフ・スターリン

恐怖と狂気、そして惨劇の「大粛清」を実行した旧ソ連の最高指導者

富農とウクライナに嫉妬したスターリン

スターリンもヒトラーと同様、恐れとコンプレックスの塊でした。また、たいへん嫉妬深い男だったと言われています。

第一次世界大戦と、ロシア革命直後の国家経済政策である戦時共産主義は、農業や工業の生産の混乱や低下をもたらしました。そこでレーニンは1921年、戦時共産主義から転換し、生産力向上を目指した経済政策への転換を図ります。収穫物の自由処分を認め、商工業発展のため一部に個人企業を認めるなど、資本主義的政策を取り入れたのです。

富農とウクライナに嫉妬し、人為的な大飢饉で
多くの人を死に追いやったスターリン

ボリシェビキの創設者であり、
第二次ロシア革命を指導し、
史上初の社会主義政権を樹立した
ウラジーミル・レーニン

これが「ネップ（NEP）」と呼ばれる新経済政策で、ソ連は経済の復興に成功し、政権の国際社会における承認へと向かいます。ネップは資本主義的政策ですから、当然のように成功者が生まれ、経済的に豊かになった人もいました。

スターリンは、こうして起業し努力をして豊かになった富農に嫉妬しました。

そこで、なんとか彼らの鼻を明かそうと、農業の集団化（コルホーズ）に着手します。ネップは1927年まで継承されますが、レーニンの死後、権力を握ったスターリンのもとで否定されます。そして、集団化に合意しない豊かな農民約450万人を「反革命罪」の名目で粛清しました。

スターリンの嫉妬はウクライナにも向けられました。

ロシアでは何年もの間、農作物不足の状況が続いていました。そのなかで導入されたのがコルホーズでした。また、1928年に国家成長計画「第1次五カ年計画」が導入され、スターリンはコルホーズによって徴収した穀物を輸出して外貨に替えようと考えたのです。

そこで目を付けたのがウクライナでした。当時のウクライナは、「ヨーロッパのパンかご」と呼ばれるほどの穀倉地帯で、スターリンにとっては嫉妬の対象でしかありませんでした。ウクライナのコルホーズに過剰なまでの穀物徴収を課すだけなく、作付けに必要な種子を含むすべての穀物のほか、家畜なども徴収を開始し、それらを外貨獲得の手段としたのです。

作付けに必要な種子を失えば、当然、農業は回っていきません。それでもウクライナの農民は作物を徴収されながらの労働を余儀なくされました。

これは歴史的大飢饉、しかも人為的大飢饉であり、「ホロドモール」と呼ばれます。ウクライナの農民は1000万人弱が餓死し、馬の鞍の革までふやかして食べたと言います。

✸農業に「設計主義」を持ち込み大飢饉に

国内の農民を粛清し、ウクライナの農民を餓死させたスターリンですが、農業政策での虐殺はこれにとどまりませんでした。

スターリン独裁時代のソ連に、トロフィム・ルイセンコという農業生物学者がいました。ルイセンコは低温処理によって、春蒔き小麦が秋蒔きに、秋蒔き小麦が春蒔きに変わることを発見します。そして、遺伝の人為的コントロールが可能であるとした「ルイセンコ学説」を打ち

大飢饉の元凶「ルイセンコ学説」を
打ち出したトロフィム・ルイセンコ

出しました。

それまで主流の学説は、遺伝を遺伝子という考え方で説明するメンデル遺伝学でした。ルイセンコ学説はメンデル遺伝学を真っ向から否定するものでした。

ソ連国内のまともな学者はルイセンコ学説を否定します。ところが、後天的に獲得した性質が遺伝されるというルイセンコの学説は、努力は必ず報われるという共産主義国家には都合のいい理論でした。

「じつに共産主義的である！」

喜んだのはスターリンです。ルイセンコの学説を支持し、当時のソ連の生物学会でルイセンコの学説に反対する生物学者は処刑されたり、強制収容所送りとなりました。

スターリンは党内で権力を得たルイセンコに農業政策を任せますが、思想ありきで考えられた政策がうまくいくはずもなく、ソ連全土の農地は荒廃します。ところが、この失敗も「反マルクス的、ブルジョア的」な農民たちの責任とし、多くの農民が収容所送りとなりました。

オーストリア出身の技術士、
アレクサンダー・ヴィネルベルゲルに
よって撮影された「ホロドモール」の
記録。ヴィネルベルゲルは、
当時のウクライナの首都であった
ハルキウで迫りくる恐ろしいまでの
飢饉の様子をカメラに収めた

結局、ルイセンコはスターリンの死後に失脚しますが、ルイセンコ学説の悪影響はソ連のみに収まりませんでした。

中国でも毛沢東が大躍進政策のなかでルイセンコ学説を採用し、数多くを餓死させました。また、朝鮮民主主義人民共和国でも、金日成《きんにっせい》の指導の下にルイセンコ学説を利用した農法が実施され、結果、土地が急速な栄養不足に陥り、これに天候不良が重なったことで1990年代の大飢饉となったのです。

こういった人為的な飢饉にも、「設計主義」の大敗北の影を見て取れるのです。

スターリンとユダヤ人の複雑な関係

スターリンは反ユダヤ主義者でした。そしてユダヤ人への軽蔑を示し、政府の中枢クレムリンからユダヤ人を排除したので、ヒトラーと同じ立ち位置にいるように思えます。ただ、出自にユダヤ人疑惑があったヒトラーと異なり、スターリンの立場はさらに複雑でした。

スターリンの父親がユダヤ人でスターリンはイディッシュ語（東欧のヘブライ語）を話していた、あるいは、スターリンの妻はユダヤ人だったという説もあります。

スターリンが生まれたのは、グルジア（現ジョージア）の町ゴリで、このゴリという町が、グルジア最大のユダヤ人居住地だったという見方もされています。また、スターリンの本名「ジュガシビリ」とは〝ユダヤ人の息子〟、「Juga」はグルジア語でユダヤ人のことであるという説もあるので、スターリンの出自がユダヤ人と深く関わっている可能性は否定できません。

加えて、スターリンのユダヤ人との距離感を複雑にした要因が、ソヴィエト社会主義共和国連邦建国に携わったボリシェビキに、多くのユダヤ人がいたという事実でしょう。さらに、ボリシェビキの首領レーニンに関しては、ソ連時代には隠微されていたものの、母方の祖父がユダヤ系であったことが明らかにされています。

レフ・トロツキーは、レーニンの後継者のひとりとみなされていたが、スターリンとの対立によってレーニンの死後、国外へと追放される。そして、亡命先のメキシコで暗殺された

このレーニンが、生前に後継者として考えていたのはレフ・トロツキーでした。トロツキーはウクライナのユダヤ人（ハザール系）農民の子として生まれますが、ロシア革命を率いた人間の85パーセントが、このハザール系ユダヤ人（後述）でした。

レーニン亡きあと、トロツキーはスターリンとの政争に敗れ、国外に追放されます。そして、1940年、亡命中にメキシコで暗殺されます。犯人のスペイン人ラモン・メルカデルは単独犯だと主張しましたが、スターリンの関与があったと見て間違いないでしょう。

スターリンはレーニンの死後、実権を握ります。反ユダヤの姿勢を示しつつも、スターリンはハザール系ユダヤ人を党や政府の要職で重用しました。

反ユダヤ主義者でありながら、ソ連で反ユダヤ主義に対する死刑を導入し、国連ではイスラエルをユダヤ人国家として承認したスターリン。この矛盾した行動の背景には、彼の出自の秘密、そしてソ連という国の成り立ちが大きく影響していたのではないでしょうか。

ユダヤ人を「打倒ロシア帝国」へと駆り立てたもの

20世紀ロシア史は、ユダヤ人史としての側面も持ちます。なかでも、ハザール系ユダヤ人は重要な存在です。そこで、ロシアのユダヤ人史を少しばかり深掘りしてみましょう。

6世紀頃、ヴォルガ川下流に建国されたハザール王国は、北方森林地帯のスラヴ諸族を支配します。9世紀に入ると改宗ユダヤ教国家となり、国民の大部分がユダヤ教徒になりました。

同時期スウェーデン系ヴァイキング（ノルマン人）の首領リューリクが、862年にノヴゴロド国を建国します。リューリクの部族名ルス（ルーシ）を日本語で読むと「ロシア」となります。

この国の派生国家キエフ公国のウラディミル1世が、988年に東ローマ帝国（ビザンツ帝国）皇帝の妹と結婚し、ギリシア正教化します。また、この時期、すでにキエフ公国はハザール王国がある地方に侵入し、大部分を支配していました。

キエフ（現キーウ）は、現在のウクライナの首都です。ハザール系ユダヤ人はウクライナ東部で生活しましたが、ウクライナ人のコサックにより50万人が虐殺され、金品などが略奪されました。コサックとは「群から離れた者」を意味する軍事集団で、特権を与えられ、ロシアの辺境警備などにあたっていました。

しかも16世紀、ハザール系ユダヤ人はモスクワ大公イヴァン4世（雷帝）から追放令を出されます。これがハザール系ユダヤ人のウクライナ、そしてロシアへの怨恨の淵源です。

やがて18世紀に入ると、ロシア・ロマノフ朝には進歩的な啓蒙専制君主エカチェリーナ2世が登場します。彼女はベラルーシそしてウクライナを、ハザール系ユダヤ人の定住地域（身分登録地）とします。そしてハザール系ユダヤ人は、19世紀前半にはウクライナの工場の30パーセントを所有するほど豊かになりました。

ところが、エカチェリーナ2世の孫アレクサンドル1世は、帝国内のハザール系ユダヤ人にもキリスト教への改宗を求め、迫害します。アレクサンドル1世は、ナポレオンのロシア遠征フランス軍を撃退した皇帝です。みずからを「大いなる龍サタン悪魔（ナポレオン）を撃退した天使長ミカエル（イエス・キリスト）」になぞらえ、ギリシア（ロシア）正教に基づく神聖同盟を提唱し、このような行動に出たのです。

そして、1881年に皇帝アレクサンドル2世が暗殺されると、犯行グループにユダヤ人革命家がいたことから、ハザール系ユダヤ人に対する集団虐殺「ポグロム」が始まります。ポグロムはロシア語で「組織的な略奪、虐殺、破壊」を意味します。

日露戦争において日本は国家予算の6倍以上の戦費をつぎ込み、ぎりぎりの状態でロシアに挑みました。この戦費の約4割を調達したのが、ドイツ系ユダヤ人でウォール街を代表する投資銀行家ヤコブ・シフでした。そこには、ポグロムでさらに深まった、ユダヤ人のロシアに対する憎悪があったのです。

さらには、ロシアのハザール系ユダヤ人がロシア革命に深く関与することになります。シフが同胞レーニンとトロツキーに、それぞれ2000万ドルの資金を提供します。こうして、世界最大の反ユダヤ国家である帝政ロシア打倒が企図されたのです。

この構図は、現在のウクライナとロシアとの戦争ともオーバーラップします。

アメリカのバイデン政権の要人で、この戦争への関わりで存在感を増しているのが、ともにウクライナ系ユダヤ人である、ビクトリア・ヌーランド政治担当国務次官とアントニー・ブリンケン国務長官です。ヌーランドは戦争を煽らんばかりです。かたやブリンケンは、これまたユダヤ系のウクライナ人のゼレンスキー大統領への熱烈な支援を隠しません。

これらのウクライナ系ユダヤ人が、プーチン・ロシアに挑む――。その姿は、ユダヤ人による帝政ロシア打倒と酷似します。

「歴史は繰り返さないが韻を踏む」

これはマーク・トゥエインの言葉ですが、まさに「韻を踏む（似たようなことが起きる）」と言えるのです。

なお、ヌーランドの夫はネオコン（自由主義・民主主義というアメリカ思想をあまねく広める自称新保守主義者）の代表的論者ロバート・ケーガンです。共産主義者とネオコンはグローバリストという意味で共通点を持っています。

ウクライナ戦争とは、「21世紀版ロシア革命」と言えるのかもしれません。

日露戦争において、日本への戦費調達という決定的な役割を果たしたユダヤ人銀行家ヤコブ（ジェイコブ）・シフ（写真右から2人目）。その背景には、ユダヤ人のロシアに対する憎悪があった

民衆が独裁者に魅せられる理由

ところで、ここまでヒトラー、スターリンについて話をしてきましたが、ふたりに共通するキーワードといえば「独裁者」です。そこで、なぜ民衆が独裁者に魅せられるのか？　その理由について考えてみましょう。

まず「独裁」と「民主」を反意語として据える傾向がありますが、大きな間違いです。ヒトラー政権は当時、世界でもっとも民主的なドイツ・ヴァイマル共和国から誕生しました。また、スターリンの「ボリシェビキ」は、ロシア社会民主労働党の多数派のことであり、ここから独裁者スターリンが生まれました。

時代をさかのぼり、フランス革命に目を向けても、もっとも民主的なジャコバン派から独裁者ロベスピエールが登場し、権力闘争に明け暮れました。さらに時代をさかのぼり、古代ローマ帝国に目を向けても、皇帝崇拝は概して皇帝が強制したものではなく、いわば押し戴いて皇帝をつくる、ローマ帝国の人民のなかから形成されたものでした。

紀元前1世紀、民衆の喝采が、共和政ローマ末期の独裁者カエサルを終身独裁官に任じました。カエサル支配の時代、議会は機能不全に陥っていましたが、こうした状態下で、カリスマ性を持った者が大衆に支持され、官僚機能を使いこなす支配体制は、「指導者民主主義」と呼ばれます。

このカエサルからさかのぼる紀元前5世紀、古代ギリシアのアテネでは、成人男性に限られますが市民に参政権が認められ、裁判にも市民が参加するなど、民主政が完成されていました。しかし、それを指導した政治家のペリクレスについて、5世紀後半のアテネの歴史家トゥキディデスは「古代アテネの民主主義の実態は、ペリクレス独裁だった」と書いています。

かくも民主主義を謳いながら、その実態は独裁制だったのはなぜか？　なぜ民主的な組織から独裁者が誕生するのか？

精神分析学者、哲学者のエーリッヒ・フロムは著書『自由からの逃走』で、人々が封建的共同体から解き放たれると、アトム化（原子＝それ以上分割できないもの）したバラバラの個人となり、みずからは池の水面に漂う浮草、根無し草だとの感覚に苛まれ、その耐え難い不安を独裁者によって「束ねられる」ことにより解消したのだ、と論じました。

またユダヤ人哲学者のハンナ・アーレントは著書『全体主義の起源』で、産業革命そして資本主義の成立過程で経済的敗者となった社会層は、そのいらだちと絶望を「疑似メシア」――つまり、独裁者による勝者に対する「成敗」に託したのだと説明しています。

毛沢東

「大躍進」「文化大革命」で多くの国民を死に追いやった大稀代の暴君

毛沢東の理想の共産社会が招いた大飢饉

1918年、宮崎県木城村（現木城町）に、白樺派の文学者である武者小路実篤が提唱した「新しき村」が設立されました。「新しき村」とは人類愛・人道主義をモットーとした農業協同集落でした。

この「新しき村」に傾倒したのが毛沢東です。毛沢東は素晴らしき共同体と、それを基盤とした共産主義的共同体をつくろうと考えたのです。

毛沢東は1949年に中華人民共和国を建国し、国家主席となります。その後、1958年

「大躍進」「総路線」「人民公社」というスローガンや文化大革命で
多くの国民を死に追いやった毛沢東

には「第2次五カ年計画」に着手しますが、これは工業化と農村の集団化を目指した大がかりな国家事業でした。

そのスローガンが「大躍進」「総路線」「人民公社」。なかでも大躍進は目玉で、脱ソ連依存を目標に鉄鋼、農作物の大増産が掲げられました。しかし、独自方式による鉄鋼生産は品質軽視が横行し、もっぱら増産のみが強調され、結局失敗します。

一方、農作物は集団化された農業組織である人民公社が中国全土で結成されますが、次第に生産性が低下し、天災飢饉も重なり大失敗します。食糧不足に加え大躍進での過労や栄養不足も重なり、生産力の低い地域で多くの餓死者が出ました。

その数は3〜4000万人ともされ、1960年の中国では「易子而食」（こをかえてくらう）つまり、自分の子どもは食べるに忍びないから子どもを取り替え、そして食べたという記録も残っています。

大躍進の問題点はほかにもありました。最高指導者からの至上命令とされたため、地方幹部には自分の評価を下げまいと、非現実的な生産目標を達成させるために不正を行う者も多かったのです。また、理想の共産社会と考えられた人民公社は、実際には個々の農民の労働意欲を奪うものでしかなく、生産効率は悪化する一方でした。

このように大躍進は結果として、飢饉という大虐殺へとつながりましたが、毛沢東は大躍進以外にも、文化大革命などで多くの国民を虐殺しています。トータルで最大7000万人を死に追いやったと推定されています。

若き日の毛沢東が起こした虐殺劇

ここで時代をさかのぼり、若き日の毛沢東に目を向けてみましょう。そこには、拭い去りたくとも拭いきれない、虐殺の歴史が刻まれています。

毛沢東は、1893年に湖南《こなん》省湘潭《しょうたん》県の農村に生まれました。青年時代にマルクス・レーニン主義に傾倒し、1921年には中国共産党創立大会に参加します。その後、農民運動に専念し土地革命の必要性を説くものの、党主流には受け入れられませんでした。

1927年、当時34歳の毛沢東は、江西省と湖南省の境に位置した井崗山《せいこうざん》を最初の革命根拠地として選び、「労農紅

大躍進政策は「鉄鋼と農作物の大増産」がスローガンとして掲げられた。
集団農場で農作業に勤しむ農民たち

軍」という軍隊を組織します。そして、地主・富農の土地と財産を没収して貧しい農民に分配するという「土地革命」を実施したのです。

その際に、毛沢東が率いる労農紅軍は容赦なき暴力性を発揮します。なかでも、「AB団消滅作戦」と呼ばれるものは凄惨を極めました。

1926年に結成されたAB団は、ヤクザ者や秘密結社によって結成された反共産主義の組織でした。ただし、AB団は1927年に自発的に解散しており、実際に存在したのは半年間だけでした。

ところが、1930年代からAB団分子を謀殺する大規模な事件が続発しました。毛沢東が「AB団消滅」の名を借りて、土着勢力を根こそぎ排除しようとしたのです。短期間で、刀や棒、石や縄などの原始的な方法によって、4千400人余りが処刑されました。

そもそもAB団はすでに解散しているのですから、「AB団分子」という名目は言いがかりでしかありません。しかし、すでに処刑が始まっているのですから、人々は「誰かが自分をAB団分子として密告するのでは?」と疑心暗鬼になります。それは伝染性を帯び広がり、不安と恐怖は深まるばかりでした。

また、共産党内部でも「AB団消滅」が始まります。つまり、党内に潜入したAB団分子摘発が行われたのです。共産党の根拠地の周辺地域、湖北、湖南、江西、安徽、福建では内部粛清による殺し合いが始まり、その死者は2万人を数えたと言います。

2000万人の命を奪った文化大革命

大躍進政策で挫折した毛沢東は、1959年に国家主席の地位を劉少奇《りゅうしょうき》に譲ります。しかし1965年、毛沢東は政治運動の「文化大革命」を発動し、中国全土に大混乱を引き起こします。毛沢東は劉少奇ら党の中枢を担う実権派を「資本主義の道を歩む者」とし、「走資派」という言葉を用いて批判したのでした。

文化大革命によって王光美夫人とともに激しい批判にさらされ、公職剝奪の処分を受けた劉少奇

毛沢東の影響力は甚大でした。

急進的な学生や青少年は「紅衛兵」という組織を組み、毛沢東に直接的な指導を受けて文化大革命を推進します。毛沢東は大衆運動による奪権闘争を開始したのであり、これに人民解放軍も加わりました。

各地では政治的迫害や職場、学校、地域内でのつるしあげが横行し、多くの知識人が投獄、殺害されました。

天安門広場で毛主席語録を掲げる紅衛兵たち。文化大革命で多くの知識人が投獄され、処刑された

つるし上げには、辱めを与えるという方法が取られました。

失脚した劉少奇は工作用紙でつくったサングラスをかけさせられ、劉少奇夫人の王光美は、ビキニの水着に模した衣装を無理やり着せられたうえに、ピンポン玉のネックレスを首からかけさせられ、「ブルジョワ！」と非難されました。

文化大革命の本質は、文化の極端な政治化でした。

「（豪華絢爛な）明代の王朝劇を上演させるとは、資本主義に走った走資派の証である！」

そんな言いがかりを浴びせられた劉少奇は、３年近くも洗面、風呂、理髪を禁じられるという凌辱を受けることになります。１９６８年の党大会で除名され、公職剝奪の処分を受けた劉少奇は、翌年、失意のなかで死亡します。

すでに触れたように、文化大革命では多くの知識人が投獄、殺害されましたが、それとは別に、多くの知識人がみずから命を絶ちました。ここに辱めの恐ろしさの本質があります。自分の「ブルジョワぶり」を噂や漫画で揶揄され、壁に描かれ人格を貶められると、言葉では弁解できず、事実無根であっても申し開きのしようもありません。身内の前でも顔を上げられず、最後は自殺という道を選んだのです。

こうして、文化大革命では2000万人が落命しました。

なお、劉少奇は1980年に名誉回復がなされています。中国共産党自身が文化大革命の失敗を認めた証と言えるでしょう。

文化大革命——まさにこれが、暴力的な社会「設計」における悲劇の典型です。

今もなお続く中国の「設計主義」

近年の中国でも、暴虐ともジェノサイドとも評される事態が、チベット、内モンゴル、そして新疆ウイグル自治区において進行中です。

ジェノサイドとは生命の剝奪だけを意味する言葉ではありません。民族アイデンティティを消去する企ても含まれます。

豚肉料理を並べられ、食べるよう強制されたイスラム教徒のウイグル人がこれを拒んだら、テロリストとして認定され、教育施設に送り込まれ中国人へと再「設計」されます。教育施設とは名ばかりで、その実態は収容所です。そしてそこで、「習近平の訓話授業」を受講させられ、アッラーの神の崇拝者でなく、マルクス由来の中国共産党の信奉者に改造（設計）されるのです。ウイグル民族から中華民族へと改造、設計されないと卒業できません。

一方、香港では「一国二制度」がもはや形骸化しています。

１９８４年の中英共同宣言で、香港島、九竜半島南端、新界の3地区の、イギリスから中国への一括返還が決定しました。その際、返還後50年間、３地区では香港人による高度な自治が約束されました。これが、中国が自国の一部とする地域に中国本土とは異なる制度を適用する「一国二制度」です。

中英共同宣言から13年後の１９９７年に、３地区が返還されました。本来ならば、50年後の２０４７年までは、香港人による高度な自治が継続されるはずでした。ところが、２０１４年9月28日から79日間続いた民主化要求デモ「雨傘運動」が起きたことからわかるように、もはやその時点で自治が脅かされていたのです。

なぜ中国は、約束どおり２０４７年まで自治を維持させないのでしょうか。

それは「２０４９年問題」があるからです。

習近平国家主席は、中華人民共和国建国１００年となる２０４９年に「漢人と55の少数民族により構成される偉大な中華民族が世界に君臨する」という「中国の夢」を打ち出しています。まさにこれはパクスシニカ（中国を中心とした、西側の民主主義や自由主義とは異なる世界秩序）実現の夢です。この夢を語る際に、習近平は「マルクス主義」を連呼しました。

２０２８年には中国経済がアメリカを抜いて世界一になるという見通しもあり、習近平は強気です。２０２１年7月1日、北京・天安門での中国共産党結党１００周年の式典で、毛沢東と同色の人民服をまとった習近平は、「偉大な」というフレーズを20回以上も連呼し、マルクス主義と共産党を称えました。

２０４９年に向けて「中国の夢」の設計図を描いているのですから、ムスリムの少数民族を早々に中華民族へと改造せねばなりません。香港も２０４７年まで自治を認めていては、完全に中国に組み込めないかもしれません。そこで、習近平は強攻策を採っているのです。

そして当然、習近平は台湾統一をも視野に入れていることでしょう。

それは軍事行動かもしれません。あるいは、何らかの方法で台湾国民を懐柔し、住民投票という、２０１４年にクリミアを併合した（一応は）民主的な「プーチン方式」を採用するかもしれません。習近平の頭のなかには、何らかの青写真、設計図が出来上がっているのでしょう。「毛沢東化」する習近平が率いる中国では、今なお「設計主義」が続いているのです。

ポル・ポト
血の粛清と恐怖政治でカンボジアを支配した独裁者

約200万人を殺したポル・ポト

次に取り上げるのは、20世紀の殺害数ワースト第4位のポル・ポトです。ポル・ポトが殺害したのは200万人前後と言われており、彼もマルクス・レーニン主義者でした。そこに毛沢東型の農村社会主義が影響したうえに、ポル・ポトはクメール・ルージュ（赤色クメール）、つまりクメール人（カンボジアを中心とする東南アジアの民族）至上主義でした。

ポル・ポトは1928年（1925年説もあり）、カンボジア南部の港湾都市コンポン・ソム州で生まれます。ポル・ポトは1940年代に、ベトナムの政治家で同国の建国の父とも呼ばれるホー・チ・ミンのもとで、反フランス抵抗運動に参加。その後、フランス留学を終えて帰国しました。

共産主義思想のもと、強制労働や拷問、虐殺を繰り返した独裁者ポル・ポト

帰国したポル・ポトは教師になりますが、そのかたわらで反フランス地下組織の活動に参加します。ポル・ポトが参加した地下組織は、やがてカンボジア共産党、そしてクメール・ルージュの母体となりました。

1953年、カンボジアはカンボジア王国としてフランスから独立します。その後、1970年に右派親米のロン・ノル将軍によるクーデターが発生し、右派親米政権が樹立されました。やがて、親中共産勢力のクメール・ルージュと右派親米政権との間で内戦が勃発します。ポル・ポトは、カンボジア共産党の党書記長を経て、内戦時には党軍事委員長を務め、解放闘争を指揮していました。そして、1975年にクメール・ルージュが勝利して内戦が終わりプノンペンを解放したとき、全権を掌握したのがポル・ポトだったのです。

クメール人至上主義のポル・ポトは、隣国のベトナム系の人々を蔑視しました。結果として、カンボジア国内ではベトナム系を忌避するナショナリズムが高揚し、都市住民すなわちブルジョアジーとベトナム人が殺戮の対象となりました。

知識人を徹底的に弾圧、処刑

1976年、カンボジアの首相に就任したポル・ポトは、農村部に都市住民を移住させて共同体をつくろうとしました。その際、農村部への移住を拒んだ人間を「反人民的行為」ということで処刑しています。

さらに、農業を集団化して農業共同体をつくろうと国民一丸となっているときに、農業をさぼった疑いがある人物を「反人民」とし、数多く国民を処刑しました。

たとえば、メガネをかけている人間は処刑されました。

「メガネをかけているということは、メガネをしていない人間よりも本を読んだという証→それだけ農業をさぼっていた時間が長かった証」という論法によるものでした。

教師は崖から突き落とされました。

「人にものを教えられるほど知識を持っているということは、相対的にそれだけ農業をさぼっていた」という理屈です。

文字を書ける人間も処刑されました。

「文字をいつどこで覚えた、字を書けるようになるまでの時間は農業をさぼっていたのだから」という理屈です。

さらには「あの頃はよかった」と家のなかで話しても処刑です。昔を懐かしんでいるということは変化を拒んでいる、ゆえに「反革命罪」という理屈です。

それにしても、当局はどうやってそのような会話を知り得ることができたのでしょうか。

政治犯収容所S21（トゥール・スレン）と生存者によって描かれたおぞましいまでの雑居房の様子

「子ども」です。子どもを縁の下に潜ませて、盗聴させたのです。
大人に比べると、子どもには知識の蓄積がなく、大人の言うことを信じやすくもあります。ポル・ポトにとって、子どもは設計社会をつくるうえで、扱いやすく都合の良い存在だったのでしょう。

このようにして、多くの人々が強制収容所に送られました。プノンペンにS21（トゥール・スレン）という強制収容所が残されていますが、ここでは拷問のあった部屋まで見学できます。プノンペン解放後にポル・ポト派が実権を握ると、革命の敵対勢力の殲滅やアメリカのスパイを洗い出すための特務機関がつくられました。トゥール・スレン収容所はもともと高等学校で、その校舎を強制収容所にして、拷問、白状させて、キリング・フィールド（処刑所）に送り込んだのです。

なお、1970年代後半より、カンボジアとベトナムでは国境紛争などが起きていました。そして、1979年にベトナム軍がカンボジアへと侵攻しプノンペンを占領、ポル・ポト派を排除して親ベトナム政権を樹立します。

カンボジア人はポル・ポト支配から解放されますが、そのとき、国民の85パーセントが14歳以下という、異常な人口構成比でした。

ジェラシーが革命のエネルギーとなる

少し話題を変えて、「革命」について考えてみたいと思います。

皆さんは、革命は何をきっかけとして、起きると思いますか？

フランス革命の指導者のひとり
マクシミリアン・ロベスピエール。
だが革命後、恐怖政治を推進したことで
国民の支持を失い、1794年に処刑された

「民衆の体制に対する不平・不満」

その通りです。民衆の体制に対する不平・不満が沸点を迎えたときに、革命は始まります。そして、沸点までの熱量を上げるのが、ジェラシー（嫉妬）ではないかと私は考えています。

たとえば、１７８９年のフランス革命でのヴェルサイユ行進の原因は、王妃マリー・アントワネットに対するパリのご婦人方の嫉妬でした。

この年、パリの民衆はパン不足に見舞われていました。穀物の価格が上昇し、パンが値上がりしていたのです。そんな折に、

「パンがなければ、ケーキを食べればいい」

と、マリー・アントワネットが言っただの、言わなかっただのという噂が飛び交います。そして「言った」となった挙句、激怒した約７０００人の女性たちが、パリから国王が暮らすヴェルサイユ宮殿に向かって約20キロの道のりを行進したのです。

国王一家は女性たちによってパリのテュイルリー宮殿に連行されました。

フランス革命の指導者のひとり、マクシミリアン・ロベスピエールは「金持ちは災いである」と言い放ちました。革命家、思想家のバブーフは「私有財産、それは罪である」と述べています。

また、ロベスピエールの片腕とされる政治家サン＝ジュストは「国王であるということ自体がギロチンに値する」と断じ、ルイ16世、ついでマリー・アントワネットの首をギロチンで撥ねたのです。

コンコルド広場でギロチンにかけられる
マリー・アントワネット

ロベスピエール、バブーフ、サン＝ジュストの言葉には、嫉妬がにじみ出ています。

パリ・コンコルド広場に常設されたギロチンは「平等」かつ「人道的」な処刑の証でした。瞬時に終わる処刑は、とろ火で死に至らせるキリスト教会の異端審問に対するアンチテーゼでもあったのです。

その後、フランス革命は革命派の分裂と粛清に明け暮れました。平和運動の活動をしている者同士の仲が悪いというのはよくある話ですが、革命推進派が分裂、抗争、粛清へと向かうこともまた歴史の常なのです。

ところでポル・ポトについて、本をたくさん読んだ人、教師、文字が書ける人など、いわば、教養や知識がある人を処刑したということは、すでに述べました。

では、当のポル・ポトはどうだったのか？　どうやら、勉強はあまり得意ではなかったようです。実際、フランスに留学しましたが、フランスでも成績が悪かったため、帰国しています。

もしかするとポル・ポトは、自分が勉強ができないため、勉強ができる人間を嫉妬し、彼ら全員を殺したかったのかもしれません。

思想としての資本主義の誕生

ここまで話してきたように、20世紀に「人間が合理的・作為的に社会を設計しようとすると、大量虐殺が起こる」ということがわかりました。理想の国家を建設したいと考える人間によるグレート・リセット（経済や社会を見直し構築し直すこと）、設計主義、社会主義の凄まじい恐怖を、人類は経験してきたのです。

ところで、社会主義の反意語と言えるのが「資本主義」です。

この講の冒頭で、古代ギリシアの思考の二分法「ノモス」と「ピュシス」について話しましたが、ノモス＝作為、設計、よって社会主義はノモス、ピュシス＝自然、よって資本主義はピュシスとなります。

18世紀フランスのルイ15世の侍医ケネーは、著作『経済表』でフランス語の「レッセフェール」という言葉を使いました。これは「なすにまかせよ」という意味で、自然とか自由放任というニュアンスを持つ言葉です。

この経済概念は啓蒙思想が流行った18世紀のキリスト教思想「理神論」の影響を受け誕生したものです。

理神論では創造者としての神は認めますが、啓示や奇跡をなす神には否定的です。ですから、いったん創造された以上、世界はみずからの法則にしたがい動き続けると考えます。

当時、ルイ14世の財務総監コルベールは、世界経済が成長する状況下で国家による経済統制、いわゆる「重商主義」を推し進めていました。

これに対してケネーは、重商主義つまりノモス的経済統制を批判し、ピュシス的な立場で「レッセフェール」という言葉を使ったのです。ケネーの経済思想は農業を基本に据え、貿易や商業活動を自由に行わせるもので「重農主義」と呼ばれます。

思想としての資本主義は、こうして誕生しました。自由放任主義はのちに、「適者生存」のスペンサーによりブラッシュアップされます。そして、スペンサーはノージックら20世紀のリバタリアン（自由至上主義）の先駆となります。

また、経済が資本主義体制なら、政治はおおむね自由民主主義です。ただ自由とは放任のことで、いかなる場面でも自由・自然に任せると結果に差が生じ、格差社会になります。その格差、言い換えるなら結果の不平等を是正するために、ある程度手を加えるのが社会民主主義です。

ピュシスから完全にノモスとなれば、スターリンや毛沢東のような政策となってしまい、人の大量死を生じさせる政体になるので、その手前でやめておく——これが、社会民主主義です。

スミスが指摘した「体系の人」に要注意

18世紀後半に活躍したアダム・スミスは、経済学の祖と言われる人物です。

彼は著作『道徳感情論』で「体系の人」について言及しています。

「体系」とは個々別々のものを系統的に統一した様と言えるので、「体系の人」とは頭脳に自信があり、自分が思い描いた青写真どおりに、さまざまなものをまとめたがる人といったニュアンスです。

そしてスミスは、そのような人は自分を非常に賢明な人間と考え、社会の構成員をチェス盤の上のさまざまな駒のように配置すると述べています。

一方、1974年にノーベル経済学賞を受賞したハイエクは「設計主義」を批判しつつ、自生的秩序の形成を説きました。彼はひと握りの人間たちが知識を独占し、合理的に社会を設計する「急進主義」と「集産主義」に警鐘を鳴らします。

急進主義とは、既成の体制や思想などを根底的に批判し、これを急激に変革していこうとするスタンスです。

そして、集産主義とは一部の少数が、「自分たちだけが真理に通暁している司令塔だ」と構えることです。

サッカーに喩えるなら、監督がピッチ上の11人の選手を、「無機質な駒」として自分の戦術どおりに完璧に動かせると考えるようなものです。そこには、フィジカルやメンタルの疲労、ケガ、状況の変化に対する迷いといった、人間的な要素は加味されていません。これでは選手がつぶれ、チームは崩壊します。

虐殺を招いた真犯人が、社会を「設計」できると過信した「賢明な人々」であることに、誰が異議をはさむことができるでしょうか。それを批判したハイエクの思想は20世紀の人類にとって、ある一定の解毒剤の役割を果たしたと私は思います。

逆にいうと、彼が提唱した自生的秩序に対して強烈なる「NO！」を突き付ける勢力が、中露を基軸とする21世紀の強権専制国家群なのではないでしょうか。

なお、2021年の段階で、すでに強権専制の権威主義国家群の数が、人権の尊重と法による支配を至上価値とする自由民主主義国家群の数を凌駕している事実は指摘しておかなければなりません。

このように、今もなお「体系の人」が新たな設計図を描き、人々をチェスの駒のように扱っていることを、私たちは決して忘れてはなりません。

第3講

主権論争

✹「主権の歴史」とは「血の歴史」である

さて、第3講のテーマは「主権」です。「主権」とはどういうものか？　それを簡単に説明すると、
「国家が持つとされる最高権力。法的・政治的な最高権威、無制限の権力」
となります。

国際ニュースなどで「主権の侵害」という言葉もよく耳にします。ウクライナ戦争でも、ロシアがウクライナの主権を侵害しています。

この権力を持つのは国家ですが、国家を誰が運営しているかといえば、私たち人間です。考えてみれば、不完全な存在である人間が無制限の権力を手にしているのですから、相当に危うい状態です。

ところで、なぜ本書で「主権」をテーマにした章を設けたのか？　それについて説明します。

現在、世界は「ウェストファリア体制」のもとで動いています。「体制」とは、一定の原理や国際社会の仕組みと考えてよいでしょう。

ウェストファリア体制は「三十年戦争」が終結した、1648年に形成されたものです（三十年戦争については、のちに解説）。戦争の終結後、いわば国際的な会議が開かれ、神聖ローマ帝国内の約300の領邦（有力諸侯の領地）にほぼ完全な主権が認められました。それは、近代の国際政治の基本型が形づくられたことを意味しました。

以後、世界はウェストファリア体制という主権国家体制のもとで動いているのであり、近現代の戦争は、領土そしてそこに眠る資源の争奪戦であると同時に、当該地域の主権をめぐる国家の矜持をかけた戦いとなりました。

「主権」という概念は、15世紀から16世紀頃の西ヨーロッパにおいて形成されていきます。では、それ以前は、誰が最高権力、最高権威、無制限の権力であったのか？

それは「神」でした。

神の手から人間へ——「主権」のあり方が変化する過程で、戦争や虐殺、迫害などで、多くの人々の命が失われました。つまり、「主権の歴史」とは「人類が流した血の歴史」であり、今このときも、主権をめぐり世界のどこかで血が流されているのです。

そこで、「主権の歴史」とはいかなるものなのか？ まずは中世のヨーロッパに目を向けてみましょう。

教皇の権力の拡大・膨張が教会を狂暴化させ、そして虐殺が起きた……

中世のヨーロッパで、権勢を奮ったのがキリスト教のローマ・カトリック教会でした。そして、その歴史は同時に十字軍の敢行、異端派の虐殺など、暴虐の歴史でもあったのです。

962年、ザクセン朝第2代のドイツ国王オットー1世が、ローマ教皇ヨハネス12世にローマ帝国皇帝の冠を授けられ、神聖ローマ帝国が始まります。

神聖ローマ帝国はドイツ王を中心とした複合国家で、現在のドイツ、オーストリア、チェコ、イタリア北部が主な支配域でした。

神聖ローマ帝国の
初代皇帝オットー1世

教皇ヨハネス12世は、有夫の女性と通じその夫に殺されるという不名誉な死を遂げました。10世紀のローマ教皇およびローマ・カトリック教会は著しく道徳的に頽廃していました。そういったことが背景にあり、フランスのクリュニー修道院から教会刷新運動が始まったのです。

ローマ教皇にも、この修道院の影響を受けた聖職者が選ばれるようになります。ドイツ人教皇であるレオ9世もそのひとりで、彼は聖職売買や聖職者の妻帯の禁止を宣言します。

その改革は同修道院出身で、11世紀の教皇グレゴリウス7世に継承されます。グレゴリウス7世は、聖職売買の原因が聖職者叙任権（聖職者の任命権）を皇帝以下の俗権が握っていることにあると指摘し、非難します。

シリア地方の重要都市アンティオキアにおける第1回十字軍の攻城戦

やがて、グレゴリウス7世は皇帝の聖職叙任権を否定する勅書を発し、神聖ローマ皇帝ハインリヒ4世に送りますが、皇帝は拒否します。対立が続き、グレゴリウス7世が皇帝に破門を宣言すると、失脚を恐れた皇帝は許しを請い、グレゴリウス7世は北イタリアのカノッサ城で皇帝に謝罪させます。1077年の世にいう「カノッサの屈辱」です。

ついで、この修道院から出た教皇ウルバヌス2世は、1095年に第1回十字軍を提唱します。異教徒から聖地エルサレムを奪還するという名目でしたが、その実態は、利権獲得を目論んだ軍事遠征でし

［略図］ローマ帝国から
神聖ローマ帝国形成までの変遷

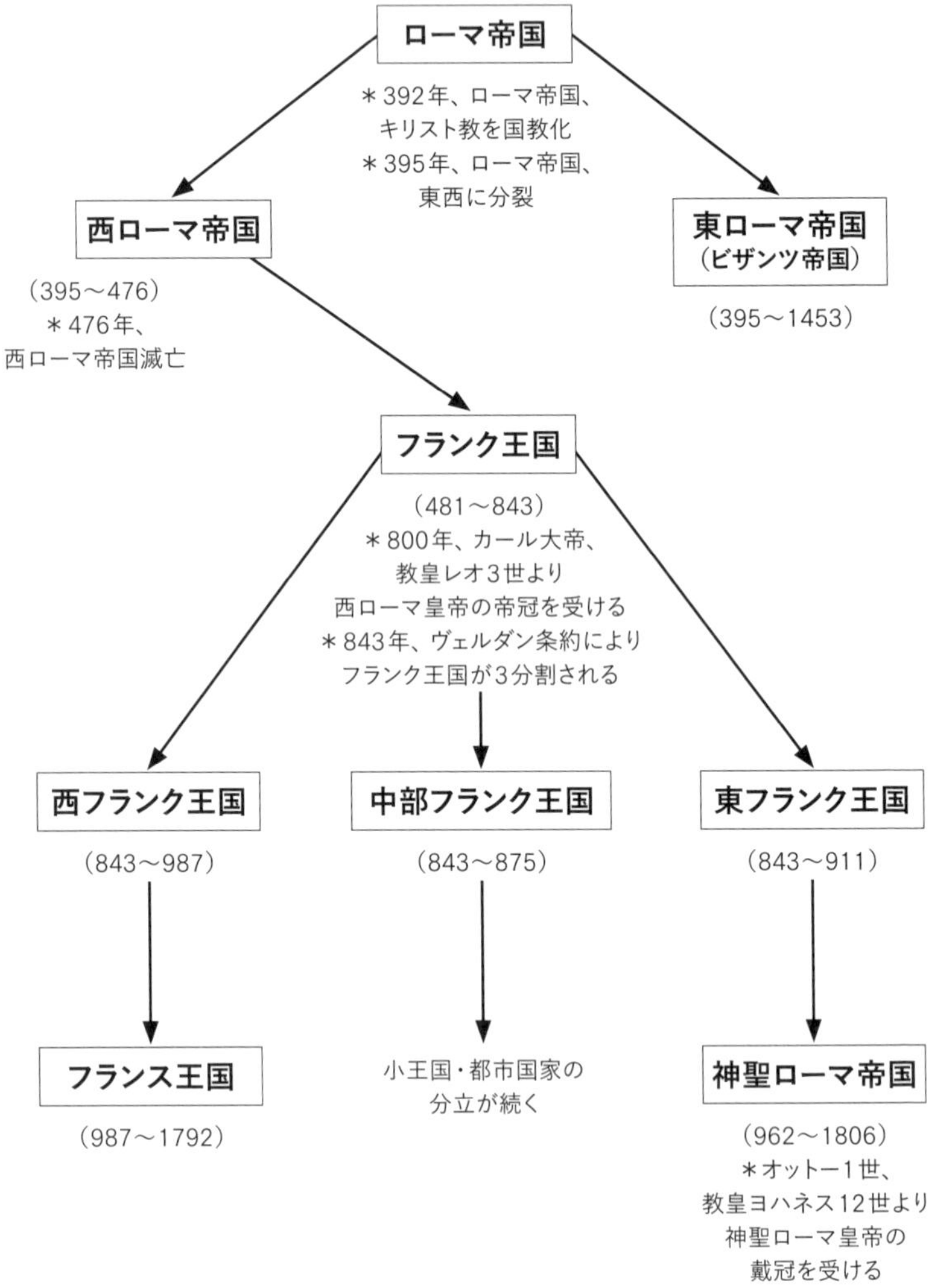

2世紀前半のローマ帝国の領土。
トラヤヌス帝の治世(98-117AD)
で、ローマ帝国は最大領土となった

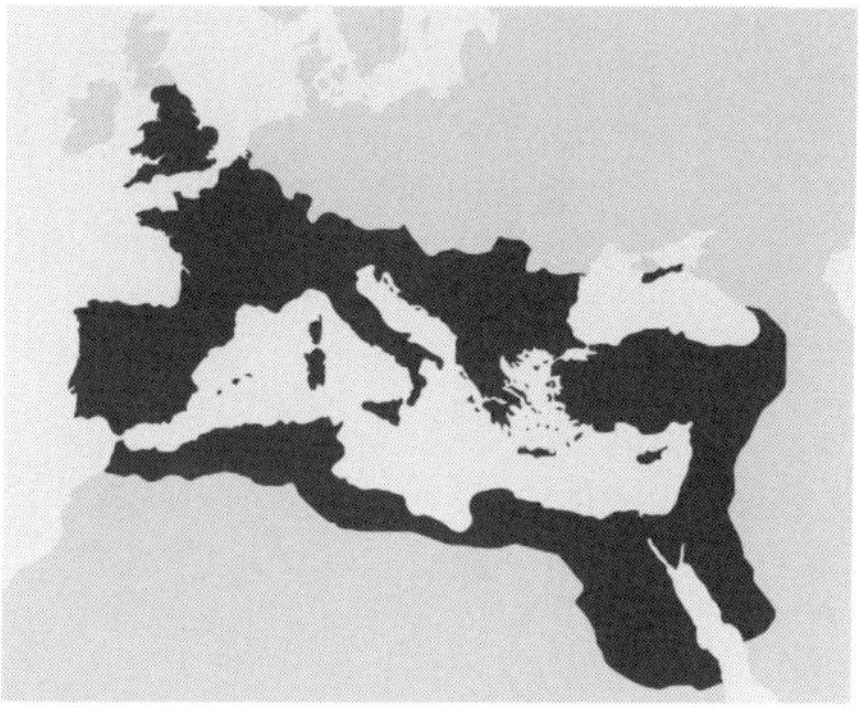

西ローマ帝国

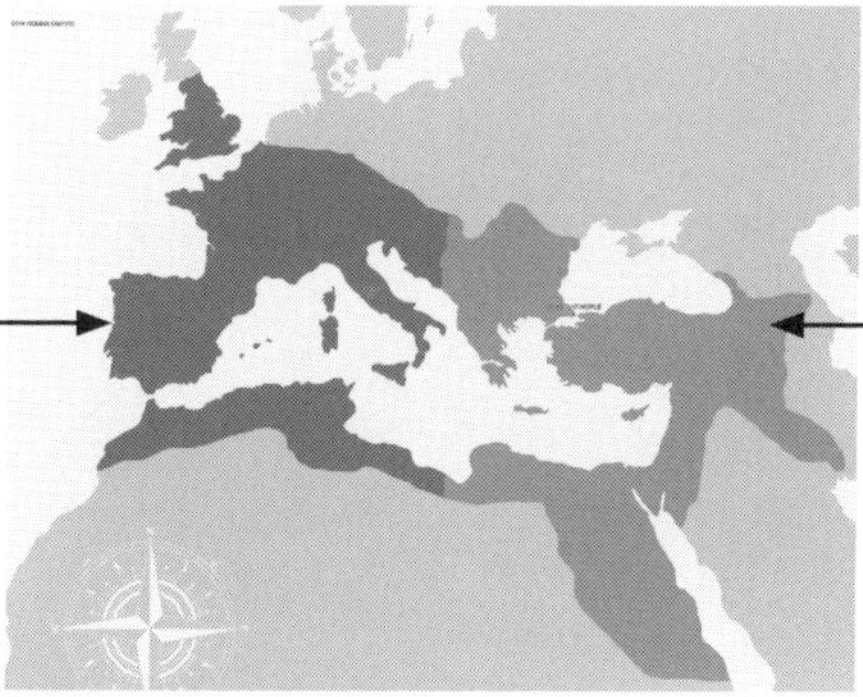

東ローマ帝国

395年、
ローマ帝国は
東西に分裂した

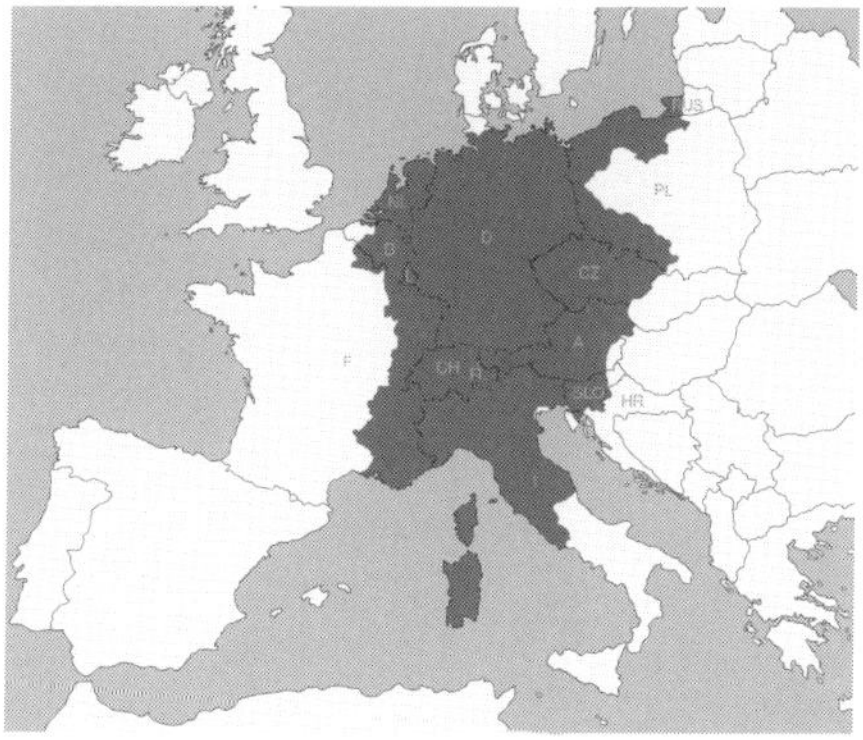

神聖ローマ帝国、
12世紀頃の領土

た。

しかし、聖が俗を凌駕するある種のストイシズムが台頭し、教皇権が膨張し始めると、教会は凶暴性を帯び、十字軍は大量虐殺を引き起こすようになります。

十字軍によって虐殺されたキリスト教の異端派

皆さんは「完全贖宥《しょくゆう》」という言葉をご存知でしょうか。「贖宥」とは、カトリック教会で信徒が果たすべき罪の償いを、キリストと諸聖人の功徳によって教会が免除することを意味します。贖宥は信者にとってもっとも大切なことです。

1064年、教皇アレクサンデル2世がイスラム教徒に対する十字軍の前身とも言える異教徒討伐隊を招集します。そして、スペインのアラゴン王国がバルセロナ西方のバルバストロでイスラム教徒と戦った際に、アレクサンデル2世は、この戦いの参加者に生涯にわたる罪の贖罪の完全免除、完全贖宥を約束しました。

また、12世紀における第3回十字軍の中心人物であるフランス・カペー朝のフィリップ2世は、アルビジョワ十字軍を敢行します。

舞台となったフランス南部の都市アルビは近年世界遺産に登録された街ですが、そこはカタリ派と呼ばれる、マニ教の影響を受けたキリスト教の本拠地でした。マニ教は3世紀のササン朝ペルシアでマニが創始した、仏教、キリスト教とゾロアスター教とを折衷した宗教です、カタリ派は教皇に「異端」視されたともいえるキリスト教ですが、そのために派兵されたのがアルビジョワ十字軍でした。

この十字軍が南フランスのビジェを攻略した際に、穏やかにただ日常を送っている村人、女、子どもを見て、兵士のひとりが随行したカトリックの神父に尋ねました。

「この村人たちのうち誰がカタリ派であるか、どうやって見分けたらよいのか？」

神父はこう答えたそうです。

「全員殺せ。カタリ派か否かは、天で神が仕分けするから心配無用だ」

カタリ派は最終的にピレネー山脈のモンセギュールに立てこもりますが、十字軍によって消滅させられました。

13世紀に第4回十字軍を提唱したインノケンティウス3世は、ワルドー派を弾

アルビジョア十字軍のアヴィニョン攻略戦（1226年）を描いた絵画（ジャン・フーケ画、15世紀）

圧しました。彼は教皇権の絶頂期の教皇で「教皇は太陽、皇帝は月」と言ったとされる人物です。

この時期、フランス・リヨンの豪商ワルドーは、リヨンにやってきた吟遊詩人の歌う聖アレクシス伝（キリスト教の聖者たちの伝記のひとつ）を聴いて、富の虚しさに気づきます。やがてワルドーは財産と家族を捨てて巡歴説教を始めますが、彼のもとには多くの信者が集まってきて、ワルドー派と呼ばれる教派が生まれました。

ワルドーは聖書のフランス語訳を試みますが、聖書のラテン語以外の言語への翻訳は罪とした教皇庁から目をつけられ、弾圧されます。結局、聖書のフランス語訳は16世紀にカルヴァンのいとこのオリヴェタンが、禁断のワルドー派聖書を引き継ぐ形で成し遂げることになります。

「異端審問」が残した深い傷跡

このようにカタリ派やワルドー派といった異端の信者が増える状況を受け、ローマ教皇は対策を強化します。それが人々に異端の告発を義務化し、教皇直属の専門の審問官を置く教会裁判制度「異端審問」でした。

この裁判は非公開で行われ、弁護はつけられず、密告や拷問という手段で審理されました。

いわゆる「魔女狩り」が盛んに行われるようになるのもこの頃からです。

異端審問の制度は、フランス、イタリア、ドイツへと展開します。スペインでは遅れて導入されますが、同国でもっとも定着し猛威を振るいました。

スペインの異端審問は、もとは「マラーノ」と呼ばれたキリスト教に改宗した転向ユダヤ人を取り締まるための制度でした。ユダヤ教徒は敵視されており、身を守るために偽装改宗したのではないかとカトリック教会側は疑い、摘発を考えたのでした。

これは、スペインのユダヤ社会とドミニコ会修道士トルケマダが手を組み、キリスト教徒のユダヤ人がユダヤ教徒をトルケマダに密告するなどしてなされた弾圧でした。

トルケマダは、在職18年間に8000人を火刑に処したと伝えられます。その後、カトリックのヒエラルキー（位階制度）をかけ上がりました。

なお、トルケマダ自身、ユダヤ人の子孫だったとする説

異端審問で有名な「ガリレオ裁判」。ガリレオは地動説を提唱したことで、ローマ・カトリック教会によって異端審問にかけかれ、有罪となった

もあります。

サッカー好きにとって、スペインサッカーのイメージは、「華麗なるパスサッカー」ではないでしょうか。パスサッカーは互いへの信頼と連携なくして成り立ちません。

ですが、中世ヨーロッパのスペインでは、互いへの不信感が極まり、異端審問が始まりました。それを思うと切なくなってしまいます。

このように、ヨーロッパ中世の教会がらみの殺戮では異端審問に関わるものが、じつに多く見られ大きな傷跡を残したのです。

金で買える天国への切符「贖宥状」

やがて16世紀になると、ローマ・カトリック教会を批判したマルティン・ルターによる、キリスト教の改革運動が起きます。それは、フランス、スイスなど西ヨーロッパ全域へと拡大、波及し、キリスト教世界を二分する新旧両派の激しい宗教戦争へとつながったのです。

そこでまず、ルターが登場した時代を俯瞰してみましょう。

ルターは1483年に、ドイツ中北部の都市アイスレーベンに生まれます。父の意志に反して修道院に入ったルターは神学博士となり、1512年にはウィッテンベルク大学神学教授になりました。

ルターは1517年に、贖宥状（免罪符）を批判する「95五カ条の論題」を発表し、これが宗教改革の口火となります。

その時期、神聖ローマ帝国はハプスブルク家が権勢を誇っていました。ハプスブルク家のカルロス1世はスペイン王も兼ね、1519年に皇帝選挙に勝利して神聖ローマ帝国の皇帝カール5世となります。

その際、カルロス1世はマインツ（ドイツ）の大司教を買収します。大司教とは、聖職者のヒエラルキーでローマ教皇に次ぐ高位聖職者で、一地方の統轄者として司教の上に置かれる存在でした。

ローマ・カトリック教会を批判し、ローマ教皇から破門されながらもプロテスタントを成立させた宗教改革者マルティン・ルター（ルーカス・クラナッハ画）

また神聖ローマ皇帝は、3人の大司教と4人の世俗諸侯の合計7人が、選帝侯による多数決で選出されていました。これは、ベーメン（現在のチェコの一部）王でプラハの皇帝カール4世が、1356年に発布した帝国法で決めたものです。

14世紀はドイツという地域の政治的権限の

贖宥状を売る修道士に群がる民衆たち

重心が、皇帝よりもそれぞれの城の主、つまり領邦や大司教へと移行し始めた時期です。そして、7人の選帝侯のなかで、筆頭の地位にあったのが、マインツの大司教であり、この大司教をカルロス1世は抱き込んだのでした。

また、カルロス1世は南ドイツの豪商フッガー家に同地域の銀山の採掘権を与え、同時に「贖宥状（免罪符）」の販売も担わせたのです。

贖宥状は卒業証書程度の大きさで、これを購入すれば「煉獄《れんごく》」へ行かずにすむという証書でした。

カトリック教会は、人は死後、犯してきた罪の多さに応じて煉獄で罪を償わなければならないと教えていました。カトリック教会によると、犯した罪は累積されると言います。

煉獄とは、人間が最終的に天国へ行くことになるのか地獄に行くことになるのかが決まるまで留まる、いわば待合室のような場所です。ところが、カトリック教会は「贖宥状があると累

[略図] キリスト教の基本的変遷

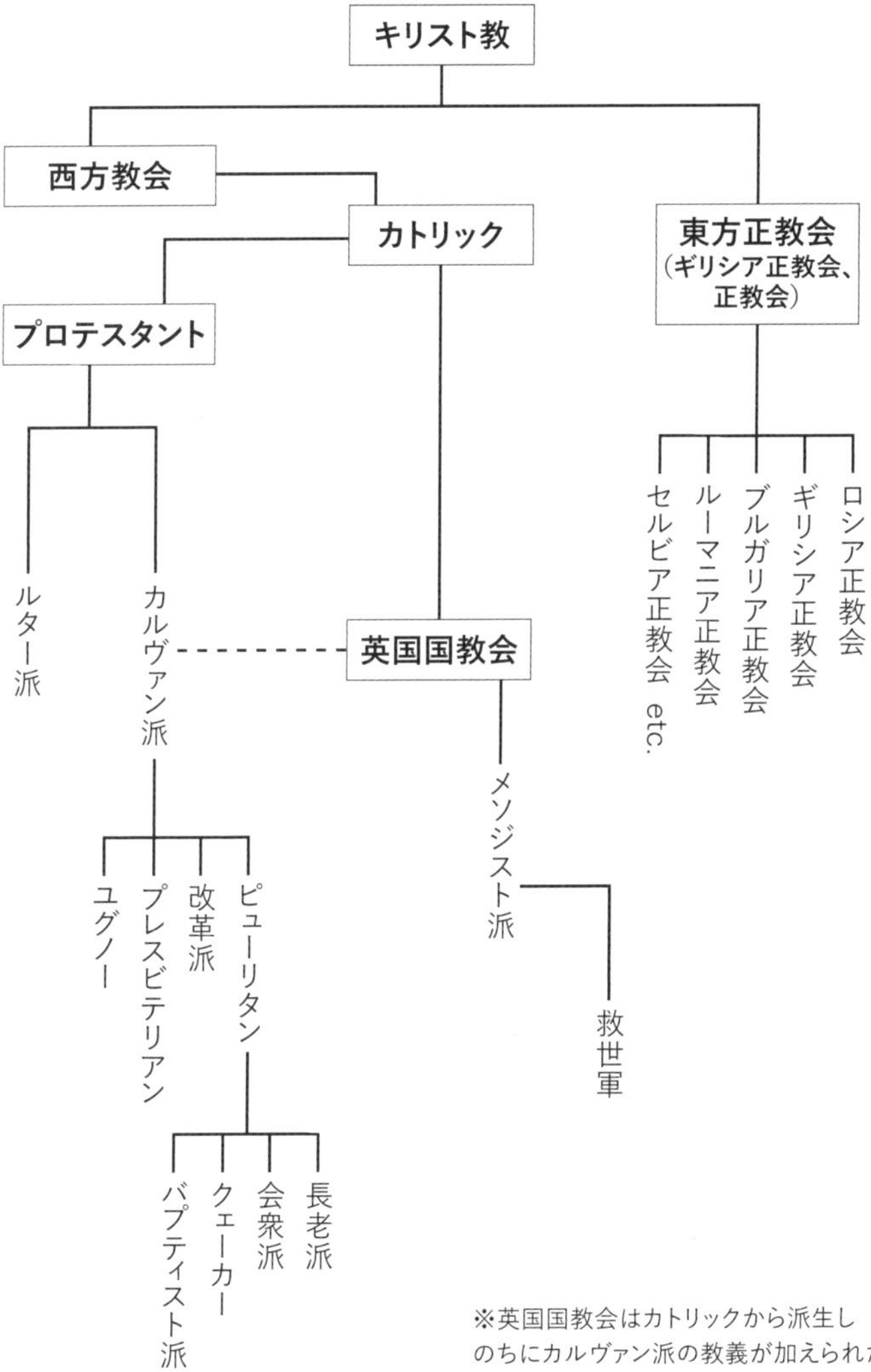

※英国国教会はカトリックから派生し
のちにカルヴァン派の教義が加えられた

積した罪が帳消しとなり、煉獄をスルーして天国に行ける」と喧伝したのですから、爆発的な売れ行きを記録しました。

さらにカルロス1世（カール5世）はマインツの大司教と組んで、ドイツの農民に贖宥状を売りつけます。そして、その金で、現在のバチカン、ローマにあるサンピエトロ大聖堂の大改築を行いました。

サッカーの攻撃では、3人の選手がトライアングル（三角形）をつくり、パスを回しながら相手守備陣を切り崩すというのが基本です。ドイツの農民にとってハプスブルク家、フッガー家、ローマ教会による搾取は、最悪のトライアングルだったでしょう。

なにせ、「ドイツはローマの牝牛」という言葉が生まれたぐらいです。その意味するところは、「ドイツはローマ教会によって牝牛のように搾り取られる存在」ということです。

身を隠しながら『新約聖書』を翻訳したルター

1517年、ルターはウィッテンベルクにて「95カ条の論題」を明らかにし、ここで贖宥状を痛烈に非難します。それ以外にも、教会で修道士が女性を犯しても金貨6枚で許されているなどという状況も、ルターを苛立たせていました。

この贖宥状批判は、ルターに始まるものではありません。ルターからさかのぼること約100年前、プラハ大学の総長フスの見解を踏襲したものでした。

フスが贖宥状を批判したのに加え、聖書をチェコ語に翻訳したことも教会を激怒させました。聖書をチェコ語に翻訳したのでは、聖書のどこにも煉獄など出ていないことがばれてしまうからです。

しかも、チェコ語の普及はチェコ人（スラヴ系チェック人）の民族意識を目覚めさせます。これはドイツ系王家による支配にとって、のちの苦悩の種となりました。

フスは前述のカール4世の子の皇帝ジギスムンドが開催したコンスタンツ公会議で、「異端」を宣告されます。そして焚刑に処せられました。

当時、プラハ大学とイギリスのオックスフォード大学との間には学術交流がありました。教会はフスが聖書を英語に翻訳した神学者ウィクリフの影響を受けたのだとみなします。そのためフスの処刑後、ウィクリフの墓も暴かれて辱められたのです。

一方、フスから100年後、贖宥状を痛烈に非難したルターは1521年にヴォルムス帝国議会に呼び出され、自説の撤回をカルロス1世から求められました。しかし、それをはねつけたため、神聖ローマ帝国を追放されます。つまり、法律の保護の外に置かれたのです。

この議会の帰路、ルターはザクセン選帝侯フリードリヒに善意から保護され、その居城ヴァルトブルグで部屋と机を与えられ、同時に聖書をドイツ語に翻訳する場も与えられます。

ルターは変装し身を隠しながら、1521年から翌22年にかけてギリシア語本文を参照しつつ、ネーデルラントのエラスムスが作成したラテン語『新約聖書』をドイツ語に翻訳しました。

「信仰のみが救済である」と説いたルター

ルターといえば「信仰義認説」です。これをざっくりと説明すると、

「人はその善行によって救われるのではなく、神が人を義（正しい）と認めることによって救われる」

となります。

当時、カトリック教会では救済に至る人間側の条件を、その人間の功徳や善行に求めていました。これに対しルターは、人が義とされるのは行いによるものではなく、信仰によるものであり、「信仰のみが救済」だと強調したのです。

ここで少し難しい話になりますが、聖書の解釈に踏み込んでみましょう。

ルターの教説は徹底的にパウロ的でした。パウロは1世紀の使徒のひとりで、ローマ帝国に

広くあまねく布教した人物です。

イエスの弟子ヤコブは「業（行い）」を強調しました。これに対し、パウロは「信仰」を強調します。

『新約聖書』の「信仰」という語は、もともと「土地の権利証書」に関連して用いられるギリシア語でした。

たとえば、売買契約が成立したのちに、ある人が土地の権利証書を入手したとします。その土地は契約を交わした場所からはたとえ見えない場所にあったとしても、権利証書によって、確実に自分の土地になったと確信できます。

その境地、その確信――それが、キリスト教徒の「信仰」であり、「永遠の生命」を確実なものとしたという境地です。

とはいえ、常に死がつきまとうのが人間の人生です。

パウロがローマのクリスチャンに書き送った書簡の説明によれば、死とは「罪の結果（死刑）」であり、この場合の罪とはいわゆる原罪、つまり完全な人間アダムがエデンの園で犯した罪を意味します。

『旧約聖書』の「創世記」が語る話によれば、アダムの妻イヴに「禁断の実を食べても死なない」と吹き込んだのが、蛇を用いた腹話術で語った悪魔サタンでした。イヴは欺かれて食べて

ヴェネツィア派の巨匠ティツィアーノ・ヴェチェッリオが
『創世記』のアダムとイヴの物語を描いた
『アダムとイヴ』

しまい、アダムは神よりも妻の是認を優先させて実を食べてしまいます。

　こうして禁断の実によって象徴される神の主権（善悪決定権）を退けた最初の人間は、「食べたら死ぬ」という神の予告どおりやがて死に、以後アダムの全子孫は原罪と死を継承した——。

　これが、パウロの説明でした。

「死なない」という教理は、突き詰めれば霊魂不滅の教えであり、煉獄、地獄などの概念はサタンにルーツがあるということになります。

　当然のことですが、いかなる文化圏においても罪は償われなければなりませんが、この償いと関連する聖書の教義が「贖《あがな》い」ということになります。

✸聖書に記された「贖い」の意味

そもそも「贖い」とは何でしょう。それを、喩えで考えてみます。

もし、誰かがある人の家の窓ガラスを割ってしまったとします。そして、弁償するにはふたつの方法が考えられます。

ひとつが、窓枠にぴったりはまるガラスを用意する。

もうひとつが、ガラスを購入するのに足るぴったりの金銭全額を相手に支払う。

前者の方法に該当する「ぴったり対応する覆い」を意味するヘブライ語が、『旧約聖書』に出てくる「贖い」、後者の方法に該当する「解放に必要な身代金相当額」を意味するギリシア語が、『新約聖書』に出てくる「贖い」です。いずれも「ぴったり」と対応しているという概念が共通しています。

つまり、完全な人間アダムの命にぴったり対応する同等のものをもって贖う（償う）ことにより、原罪が消滅し、人類から死がなくなり、永遠の生命を獲得できる、という論理なのです。

この「贖い」システムは一見、まどろっこしい手順にも思えますが、神自身が定めた「公正」の原則と、神が体現している「愛」の表明を同時進行するものです。

また、神に主権があるという正当性と、人間の自治能力には欠如が見られ、それを人間が知ることができる時間の提供という、神ならではの「知恵」と、それをやってのける神の「力」量を見ることができる、いわば神のプロジェクトなのです。

これが正統派キリスト教徒の見解ということになるのでしょう。

しかし、アダムの子孫はみな不完全です。

そこで神は完全な人間の命を処女マリアの子宮に送り込む——こうして生まれてきた完全な人間であるイエスの命が「贖い」として支払われることにより、永遠の生命が可能になった——。

このように1世紀にパウロは教え、16世紀のルターはそれを信じました。

しかし、もし贖宥状の購入で煉獄から自由になるのであれば、苦しみの杭の上でのイエスの死も、神のプロジェクトも必要なくなります。

人間をもっとも長時間苦しめて殺す方法は磔刑であるという研究もありますから、贖宥状はキリストの死を単なる犬死とするようなものです。ルターにとってカトリック教会の姿勢は、二重、三重に忌まわしき行為と映ったことでしょう。

✹ルターによる聖書の翻訳がもたらしたもの

ルターによって聖書が翻訳されると、2カ月で5000部、12年間で20万部が売れました。これは、当時では驚異的なことでした。1455年頃にマインツの印刷業者グーテンベルクにより聖書の活版印刷技術が機能していたこと、さらにそれに先立つ1390年には、ニュルンベルクに製紙法が伝播していたことが、聖書の売れ行きを後押ししたのです。

また、ルター訳聖書のおかげでドイツ語が平準化し、19世紀のドイツ・ナショナリズムとドイツ統一の前提が築かれました。

チェコスロバキアの初代大統領トマーシュ・マサリクは、民主的な宗教改革者が民衆の言葉を用い、聖書を自国語に翻訳したのがナショナリズムの淵源であると述べています。

一方で、聖書を読めるようになると、ある種の弊害も生じることになります。「ヨハネ黙示録」に出てくる教義、「ハルマゲドン」が人々の目に留まることになったからです。「ヨハネ黙示録」の記述の文脈を見てみると、次のようになります。

「間違ったキリスト教と、地の王と、地の旅商人が癒着した時期に、人類に対し神の怒りが注がれた」

ルターと出会い、その思想に共鳴し
改革に身を投じたトマス・ミュンツァー。
最後の審判と千年王国の到来を説いた

ですから、ルターが翻訳した聖書を読み、

「間違ったキリスト教がカトリック教会であり、地の王がハプスブルク家、地の旅商人がフッガー家である」

そう解釈した人もいました。このような急進派は再洗礼派と呼ばれる人々で、彼らの革命的行動の最たるものが、1534年、ドイツのミュンスターに建設された「千年王国」でした。

千年王国とは、終末に際してキリストが再臨し、1000年間、この世を統治すると信じられた神聖な王国です。

地上に、この千年王国を樹立しようとして蜂起したこの運動は、のちの歴史家によって、レーニンのボリシェビズムやヒトラーのナチズムの原型であるとも論考されています。

再洗礼派の思想の中核には、「今や『ヨハネ黙示録』に示された終末のときが迫りつつある」という期待があり、1533年末が「終末」であるという算出までされていました。

この16世紀のドイツ・ミュンスターに建設されたカルト的な千年王国には、カトリック教会を「ヨハネ黙示録」の大娼婦バビロン（「汚れた霊の巣窟」の比喩）とみなす、ルターの宗教改革を支持して起こったドイツ農民戦争の指導者トマス・ミュンツァーの思惑が反映されています。

そして、これと同種のものが、17世紀イギリスの「ピューリタン革命（清教徒革命）」において再燃したのです。

ルターとヒトラーをつなぐ「反ユダヤ主義」

ルターが翻訳した聖書に影響を受けた千年王国という蜂起運動が、レーニンのボリシェビズムやヒトラーのナチズムの原型であるとの指摘があることはすでに述べましたが、ルターに関してはもうひとつ指摘しておくべきことがあります。それは、ルターがヒトラーに大きな影響を与え、ヨーロッパ思想史上、もっとも影響力を持つ反ユダヤ論者であったことです。

14世紀半ばのヨーロッパでは、世界史的大事件ペストと関連しユダヤ人への怨嗟が渦巻いていました。当時の人々は流行の原因が理解できず、「ユダヤ人が井戸に毒をまいた」といった噂などからユダヤ人を迫害していたのです。

その興奮冷めやらぬ15世紀、当時のドイツには民衆レベルで反ユダヤの動きがありました。それはユダヤ人の高利貸しという生業に対してのものでした。

この時代を生きたルターのユダヤ人に対する態度は、当初は友好的なものでした。『旧約聖

ルターの晩年の著作にして反ユダヤの論文『ユダヤ人とその偽りについて』（1543年の表紙）

書』にあったユダヤ人の役割を認め、ユダヤ人のキリスト教への改宗を期待していたようです。

しかし、ユダヤ人が割礼や安息日など、キリスト教に課されていない慣行をうながすような動きをしているという報を耳にすると、ルターは態度を硬化させます。そして晩年に『ユダヤ人とその偽りについて』を著しました。これは反ユダヤの論文でした。

このルターとルター派のユダヤ人観が、16世紀から終始一貫してネガティブなものであり、そのままヒトラーの時代の精神状態に影響したと指摘する意見もあります。

また、ルターは「二王国説」というものを唱えていますが、これがヒトラーの精神的ルーツとなり、ヒトラーの台頭を許したとする研究もあります。

二王国説とは、神の統治（キリスト教的）を支柱としつつも、非キリスト教的なこの世においては、世俗権力による統治が必要であるとするものです。このようにルターは「キリスト教的」と「非キリスト教的」という、いわば二元論で人間社会を考えていたのでした。

この二王国説が、キリスト教をナチズムと結合させる思想を持つドイツ的キリスト教をつくり、反ユダヤ主義の政治家ヒトラー登場の土壌となったというのです。

ルターのユダヤ人観が、どの程度ヒトラーのユダヤ人観に影響したのかを合理的に算出するのは困難です。しかし各時代状況で利用されやすかったのが、ルターの晩年の著作ということだけは確かでしょう。

このように、後代の反ユダヤ主義の結節点となったのもまた、ルターだったのです。

世界史の大転換を図ったカルヴァン

では、ルターと並ぶ宗教改革の中心人物、フランスのジャン・カルヴァンに焦点を当ててみましょう。

カルヴァンはルターなどに影響を受け、1540年代にスイスのジュネーヴで宗教改革を実践、改革派を指導しました。その教えはイギリス、フランス、ネーデルラントなどに広がります。

カルヴァンといえば「予定説」です。「予定説」はプロテスタントの理論であり、「人が救われるか滅びるかは予め神により定められているという」教説です。また、カルヴァン派は民主主義の元であると言われます。

ルターと並ぶ宗教改革の中心人物
ジャン・カルヴァン。カルヴァンの
「予定説」はプロテスタントの理論となり、
ヨーロッパ資本主義社会に
影響を与えたとされる

カルヴァン派の特徴は、カトリックやルター派、英国国教会とは異なり、聖職者と信者を厳密に分離しないところにあります。模範的な信者から長老が選出されて、信者の群れを監督するという組織図ですから、民主主義の源泉とされるのです。

カルヴァンはスイスのジュネーヴにおいて、顧問という立場で徹底的な聖書主義にもとづく神権政治を実施しました。それはあまりにも徹底した、まさに恐怖政治でした。このカルヴァンの神権政治を、現代の秘密警察の雛型と見る研究者もいます。

このカルヴァン派をイングランドではピューリタン（清教徒）と呼びます。英国国教会よりも聖書主義の純度が高く、かつ道徳的行状が清いからです。

1620年にメイフラワー号で大西洋を横断したピューリタンの末裔たちが、アメリカ合衆国の礎を築きました。彼らが建設した東部ニューイングランドの一部の家庭には、現在でも門限が夜8時、結婚するまでキスもしない、というモラルを固守する層があります。

このピューリタンたちの北米移住が歴史的に大きな意味を持ちますが、それはのちの講でお話しします。

カルヴァン派はスコットランドでは「プレスビテリアン」、つまり長老派と呼ばれます。これは組織の成り立ちに着目した呼称です。

スイスやフランスになると「ユグノー（幽霊という説）」、ネーデルラントでは「ゴイセン（物乞い）」と呼ばれますが、これらはいずれもカトリック側からの蔑称です。

このような蔑称で呼ばれても、カルヴァンの教えは広がりを見せていきます。カルヴァンは世界史の大転換を図ったと言えますが、その過程、16世紀のパリで大事件が起きます。それが「サン・バルテルミの虐殺」です。

セーヌ川が血で赤く染まった――「サン・バルテルミの虐殺」

サン・バルテルミの虐殺の鍵を握るのは、フランス・ヴァロワ王朝アンリ2世に嫁いだカトリーヌ・ド・メディシスです。

ふたりは14歳同士で結婚しましたが、若き夫アンリ2世から顧みられなかったカトリーヌは次第に精神を病みました。それでも彼女は、3人の国王とふたりの王妃の母となります。

フランスは本来、496年にゲルマン人フランク族のクローヴィスがアタナシウス派、つまりカトリックに改宗して以来のカトリック国でした。しかし、カルヴァンの教義のフランスへの浸透に伴い、カルヴァン派のユグノー貴族も数を増していきました。

カトリーヌの次男シャルル9世が幼くして即位したため、カトリーヌは母としてシャルル9世の摂政となります。以後約30年にわたり、フランスを統治します。

1562年、カトリック側の中心勢力だった有力貴族一派がユグノー派を虐殺、それをきっかけに宗教対立は全面的な内乱へ

15世紀～16世紀、フランスの絶対王政が確立されるまで

〈ヴァロア朝〉

- 1453年、シャルル7世（在位：1422～1461）、1339年に始まったイングランド王とフランス王の戦争「百年戦争」に勝利
- 1494年、シャルル8世（在位：1483～1498）、イタリアへ侵攻し、イタリア戦争（～1559）開始
- 1521年、フランソワ1世（在位：1515～1547）、神聖ローマ皇帝カール5世と対立
- 1562年、シャルル9世（在位：1560～1574）の治世にユグノー戦争（～1598）勃発
- 1572年、サン・バルテルミの虐殺
- 1574年、アンリ3世が即位（在位：～1589）
- 1589年、アンリ3世、暗殺される。ヴァロア朝、断絶

〈ブルボン朝〉

- 1589年、アンリ4世が即位（在位：1589～1610）
- 1593年、アンリ4世、カトリックに改宗
- 1598年、ナントの王令、ユグノー戦争終結

犠牲者たちの血によってセーヌ川が赤く染まったという
サン・バルテルミの虐殺（フランソワ・デュボワ画）

と発展しました。これが1598年までに8回の戦闘が行われるユグノー戦争です。

当初、カトリーヌはカトリックとユグノー両教徒の均衡の維持に努めますが、軍人でありユグノーの指導者コリニー提督の力が強大化するのを見て心変わりします。カトリックの首領と手を結ぶようになったのです。

1572年8月24日。その日はサン・バルテルミ（聖バーソロミュー）の祝日で、ある結婚式が挙行されました。

新郎はナヴァル王アンリ、新婦はカトリーヌの娘マルグレーテ。新郎がユグノーつまりカルヴァン派、新婦がカトリックという構図の結婚式であり、この結婚をもって宗教戦争を手打ちにする手はずでした。

しかしカトリックの狙いはまったく別にありま

した。婚儀のために集まったユグノー貴族が、カトリーヌの発動でカトリック教徒によって虐殺されたのです。

コリニー提督を含むユグノー信者の血でセーヌ川は赤く染まり、報を受けたローマ教皇は手を打って喜んだといいます。このときのパリで数千人、宗教戦争は深刻化し、その後、フランス全土で数万人が死亡しました。

神の主権は人間が手にした……

その後、カトリーヌの息子の国王シャルル9世を継いだ弟のアンリ3世が暗殺され、1589年にヴァロワ朝が断絶します。

件の婚儀の新郎ナヴァル王アンリがカトリックに改宗しアンリ4世として即位します。こうしてフランス・ブルボン王朝が始まりました。また、アンリ4世が出した「ナントの王令」で信教の自由が認められました。

こうしてアンリ4世は、旧教、新教双方に配慮することで、国内の宗教対立を終結させたのでした。アンリ4世はフランスで最も人気のある国王です。

このユグノー戦争に関連して最も注目すべき点は、フランスの経済学者、法学者であるジャン・ボダンが、「主権」という概念を確立させたことでしょう。

主権とは、法的・政治的な最高権威、無制限の権力のことです。そんなものを人間が持ったらどうなるか？　相当に優秀な人物、相当な人格者であっても、人間である限り不完全です。ゆえに、最高権威、無制限の権力なんてものを手にしたら、大変なことになります。

主権などは、本来、全知全能の神のみが有する資格があるものであり、聖書では神に関連してのみ見出せるものです。

ですが、ボダンはヴァロワ家の権威をローマの支配や教皇権、各地の有力な貴族の上に据えるため、この概念を援用したのです。すなわち、王権という絶対権力によって事態を収拾しようとしたのでした。

ボダンが記した『国家論』は、政治思想において初めて「主権」という概念を導入し、国家論を展開しています。彼は王権を中心とした政治の統一と平和を説いており、これは当時、非常に画期的でした。

ここが、1598年に終了したユグノー戦争の注目点です。

そして、神が国王にその「主権」を授けたという言説が「王権神授説」です。

王権神授説は、イギリスの政治思想家ロバート・フィルマーが唱えたものです。これなくして絶対王政（最近の高校世界史教科書では「主権国家体制」と呼びます）は成立しませんでした。

こうして、世界史は主権論争の17世紀へと突入するのです。

王権神授説の暴走が招いた専制政治

1603年、イングランドにスチュアート朝が始まります。最初の国王がジェームズ1世で、みずからイングランド貴族に英国国教会を押し付けます。

ジェームズ1世は、「ジェームズ王欽定訳」という聖書翻訳でも知られる学者でもありました。異教に起源がある結婚指輪の使用も禁じるガチガチの聖書主義の国王でしたが、カルヴァン派ではなく英国国教会の信奉者でした。

次のチャールズ1世も、父ジェームズ1世の王権神授説を受け継ぎ絶対王政を維持します。ところが、これに対し反論する者が現れます。法律家・政治家のエドワード・コークです。

コークは「国王といえども神の法のもとにある」という、13世紀の聖職者ブラクトンの言葉を引用し反発しました。すると

17世紀、イギリスの王権と議会の対立

（スチュアート朝）

- 1603年、ジェームズ1世（在位：1603〜1625）、即位
- 1625年、チャールズ1世（在位：1625〜1649）、即位
- 1628年、チャールズ1世の専制に対して、
  議会が「権利の請願」を提出
- 1629年、議会の解散。1640年まで無議会の時代が続く
- 1640年、11年ぶりとなる議会の招集
  ピューリタン革命（1642〜1649）
- 1649年、チャールズ1世、処刑される。共和制成立

1628年、貴族たちも議会において「権利の請願」と呼ばれる請願書の提出を試みました。これはイギリス政治史上、もっとも需要な文書です。

その内容は、恣意的な課税、借上げ金の強制、不法な逮捕と投獄、軍法裁判の乱用といった国王の行為を非難するものでした。

なお、このブラクトンとは、プランタジネット朝のヘンリ3世に抗議をした人物です。ヘンリ3世が、父王ジョンが1215年に署名した「マグナ・カルタ（大憲章）」を無視したので、ブラクトンは抗議したのでした。

さて、コークや貴族たちの反発を受けてチャールズ1世はどうしたのか？

1629年に議会を解散し、請願の中心人物であった議員を投獄、以後11年間も議会を召集せず専制政治を行ったのです。

人間によって起こされる「ハルマゲドン」

チャールズ1世は1640年に、11年ぶりとなる議会を招集します。目的はスコットランド鎮圧の軍費捻出でした。しかし、議会側は抗議文などを提出し王と対立します。そして、1642年に国王が議会を弾圧し内乱に発展します。これが「ピューリタン革命」です。

クロムウェル率いる議会軍（新型軍）が王党軍を破り、議会派勝利を決定づけた「ネーズビーの戦い」

このピューリタン革命の過程においても、主権概念の論争的性格が鮮明化しました。王党派も議会派もみずからの立場を「主権」概念を用いて正当化しようとしました。

ピューリタン革命期の主要理論で注目に値するのが、アスピンウォールの「第五王国論」です。

第五王国論とは、世界の四大帝国（アッシリア、ペルシア、マケドニア、ローマ）の崩壊ののち、キリストの王国（第五王国）が地上に出現し、1000年間支配すると主張するものです。

彼はこのように、ピューリタン革命を『旧約聖書』の「ダニエル書」の預言の成就とみなし、同7章8節に出てくる「小さな角（終末期の最後の最後に現れ、短期間、猛威を振るう最後の支配者）」は国王チャールズ1世のことであると力説しました。

その背景には、当時、『新約聖書』の「ヨハネ黙示録」にある千年王国思想が、ピューリタンの心を強くとらえていたことがあります。また、キリストの千年王国の到来を1656年と算出する説が最有力でした。

ピューリタン革命を指導したオリヴァー・クロムウェルから見れば、英国国教会の首長チャールズ1世は「ヨハネ黙示録」の大娼婦バビロン（汚れた霊の巣窟）、カトリック教徒が多数住むアイルランドも大娼婦バビロンということになります。

ですからイギリス史における大反乱、つまりピューリタン革命も、クロムウェルの指示で多くのカトリック聖職者を虐殺した、イギリス史最大の汚点であるアイルランド大虐殺も、先走った人間が起こした、ハルマゲドン（世界の終末的な善と悪の戦争）だったのです。

なお興味深いことに、ハルマゲドンを人間が起こすものだとする記述は「ヨハネ黙示録」には見出せません。そこに記されているのは、「全能者である神の戦争」という説明だけです。

ですが、「ヨハネ黙示録」の千年王国思想が誤作動を起こし、みずからの手でハルマゲドンを起こそうとする人間が、なぜか世界史には現れてしまうのです。

✸主権をめぐって起こる虐殺、迫害、戦争

17世紀の前半、ドイツでも激変が起きていました。1618年から1648年まで続いた「三十年戦争」です。

最後で最大の宗教戦争と言われるこの戦争の発端は、ドイツのキリスト教新旧両派の宗教内乱でした。

ところが、この戦争に西ヨーロッパの新教国、旧教国が介入し大規模な国際紛争へ発展。単なる宗教戦争にとどまらず、ヨーロッパの覇権をめぐる国際的な戦争へと変質したのです。

この戦争の対立軸は3つありました。それは、旧教徒VS新教徒、神聖ローマ皇帝VS領邦君主の対立、そして、ハプスブルク家VSブルボン家を中心とした主権国家間の対立です。

また、当時の軍隊は国民軍ではなく新教側も旧教側も傭兵に依存していました。そのため凄惨を極めた戦闘は略奪行為なども多く、ドイツ人の3分の1が死んだと伝えられています。

戦争の長期化によりドイツは荒廃しました。フランスやスペインも、もはや戦争継続が困難になっていきます。そして1644年から講和交渉が始まり、ようやく1648年に「ウェストファリア条約」で講和が成立するのです。

ウェストファリア条約での主な決定事項は、(1)オランダ・スイスの独立(2)フランスとスウェーデンがドイツ領の一部を獲得(3)ドイツの領邦君主はその領土にほぼ完全な主権を確立(4)ドイツでカルヴァン派の信仰を認める――でした。

ここで注目したいのが(3)です。ドイツの約300の領邦に主権(無制限の権力)が認められた、つまり、神聖ローマ帝国が事実上解体されたのです。ゆえに、この条約は「神聖ローマ

現在のドイツ・ノルトライン＝ヴェストファーレン州にあるミュンスターで締結されたウェストファリア条約締結の様子を描いた絵画図

帝国の死亡証明書」と呼ばれます。

以後の世界史は、主権国家体制、ウェストファリアン・システムと呼ばれるようになります。主権国家体制を中心とした、現代の国家間の外交関係や国際機関の原型となります。

ここまで見てきたように、「主権」は、神が主権そのものであった時代から、神が国王に授けた時代を経て、人間がそのものを手にするようになりました。そのプロセスで、十字軍による虐殺、皇帝と教会による迫害、宗教革命と戦争、主権をめぐる論戦、虐殺などが行われました。

そして現在でも――「主権」をめぐる軋轢は、世界の各地で起きているのです。

第4講
思想のグランドデザイン

ルソーの手を離れたボールによって実現したフランス革命

暴虐の世界史を思想的にたどるには、サッカーと同様に、ゴールキーパーからどのようにボールが送られ、パスが回され、攻撃が組み立てられたのかを確認する必要があります。この講では、それをグランドデザイン（全体構想）のごとく俯瞰していきたいと思います。

ワーストイレブンにおけるゴールキーパーである、18世紀のフランスの啓蒙思想家ジャン＝ジャック・ルソーの手を離れたボールは、18世紀末の急進的な選手へと渡り、彼らは「フランス革命」という攻撃を組み立てました。

フランスの思想家ジャン＝ジャック・ルソー。彼から放たれた思想のパスは、多くの歴史上の人物へと渡った

ここで見逃せないのが、ルソーがスイスのジュネーヴ出身だったという点です。なぜなら、ジュネーヴは16世紀に、ジャン・カルヴァンが宗教改革を敢行し、顧問という立場で血なまぐさい神権政治（神裁政治）に携わった街だからです。

ルソーの思想には、多分にカルヴァン派に胚胎する「モナルコマキ（暴君放伐論）」を見ることができます。モナルコマキは聖書の記述に代表される神の法、あるいは自然法などに照らして、暴君もしくは悪い支配者であると判断されたなら、抵抗を容認する思想です。

カルヴァン系のモナルコマキの代表的事例が、第3講で解説したフランスにおける宗教戦争・ユグノー戦争でした。すでに触れましたが、「ユグノー」とはスイスやフランスにおけるカルヴァン派の呼称です。

この暴君放伐論が、16世紀後半には隆盛します。そのなかには、抵抗の典拠として『旧約聖書』の神ヤハウェとユダヤ人（ヘブライ、イスラエル）との契約を取り上げ、他国の暴君であっても、それに抵抗するのが「真の宗教」の証であるという思想もありました。

そして、フランス革命による1793年のルイ16世の処刑には、この暴君放伐という側面もありました。19世紀のフランスの歴史家アレクシ・ド・トクヴィルは、「フランス革命は宗教戦争だった」と言っています。

ルソーが宗教の域にまで高めた「平等」という価値観

ルソーの思想の基本にあるのが、彼の1762年の著作『社会契約論』に出てくる、人民の「一般意志」という概念です。ルソーは、人民が自分のあらゆる権利や自由を生命も含めて共同体に譲渡する「社会契約」によって成立する共同体が、人民主権の国家になるとしました。ルソーの思想において「主権」とは、一般意志つまり人民すべての意志です。そうなると、一般意志と表裏一体を成した国家権力による政治、言い換えるなら「人民主権の政治」は、人民すべての意志と合致した政治を実現する必要があります。

しかし、人民の一般意志など、そう簡単には人民にはわかるものではありません。ゆえに、それを感知できる独裁的な党、もしくは法も議会も超越した独裁的な人間が立法者となるしか道はありません。結果として、国民の自由を奪い隷従させ、法的保護から丸裸にしてしまうことになるのです。

朝鮮民主主義人民共和国、中華人民共和国の国名には「人民」が含まれていますが、実態がまさにそれです。前者は朝鮮労働党の総書記（金正恩）、後者は中国共産党の独裁の国です。これらの国家の行事はほとんど宗教的祭典で、国民はじつに献身的に見えます。

ルソーは善悪の区別のできない無知な人間を「自然人」としました。つまりルソーの言う自然状態の人間とは、人間的・社会的関係がまったく成立していない人間、ゆえにルソーの言う「平等な社会」とは、人間が動物化した社会ということになります。つまりは、人間が他の人間との依存関係が消滅している「個人」となった状態を指します。

ギロチンで処刑されたルイ16世。ギロチンにもルソーの「平等」という思想が反映されていた

ところが人間が文明化していく過程で、個々が手にする生産物に違いが出て「不平等」の原因となる富がつくり出されます。この不平等が争いの原因となり、争いを避けるように「欺瞞」とも呼べるような社会契約が成され、私有財産制を認める法によって不平等が制度化され、平等が失われた社会になった——ルソーはそう結論づけたのです。

このルソーが、ある種の宗教の域にまで高めた「平等」という価値観が、1789年に始まるフランス革命に表れています。

1792年9月22日、フランス革命の最中に共和政宣言が成されますが、それは昼と夜の長さが等しい秋分の日だからでした。また、それまで貴族は斬首、平民は縛り首というように身分によって異なっていた処刑方法をすべてギロチンにしました。ギロチンは平等かつ瞬殺可能で人道的な処刑法と考えられたのです。

言語においても、革命政府は共和国の住民に「言語の自由」を宣言していました。それぞれが使う言語を平等に扱うとしたのです。ところが革命の宣伝のために言語をパリ方言に統一する必要性から、パリ方言以外の方言を使うと「反革命」で処刑するようになります。

やがて革命政府は急速な中央集権化を図り、その最中で事件も起きます。革命政府の徴兵制実施に反発した農民が蜂起し、反乱軍を組織しました。「ヴァンデーの反乱」と呼ばれる農民反乱です。革命政府は徹底した弾圧へ乗り出し、多くの残虐行為が行われました。女性であろうが、乳飲み子であろうが、容赦なく殺されました。

なぜ、このようなことが起きたのでしょうか？　それは、革命推進派が「一般」であり「人民」であり、ヴァンデーの農民は「異質な存在」だったからです。「一般」と「人民」で線引きをすることで、「一般」でもない「人民」でもない異質な人々をつくり上げ、「革命の名」のもとに、革命推進派は彼らを攻撃したのでした。

このように、自由と平等を謳うルソーの思想を取り入れた結果、権力による中央集権化と地方潰しという名の虐殺が起きたのです。

ロシア革命につながったルソーの「平等教」

フランス革命にあっても、とりわけ「ジャコバン派」と呼ばれる面々にとって、ルソーの『社会契約論』はマニュアルであり教科書であり、聖典でした。

ジャコバン派は、パリのジャコバン修道院内に本部を置いた、フランス革命期においてもっとも急進的な政治党派です。ジャコバン派はノートルダム大聖堂を占拠して「理性の殿堂」に改装し、キリスト教の神を否定して人間の理性を崇拝するという運動を起こします。

ジャコバン派の中心人物マクシミリアン・ロベスピエールは、実際にルソーと逢って薫陶を得ています。ロベスピエールは幼い弟妹3人を抱えた孤児であり、猛勉強のすえ奨学金を得た努力家で、「金持ちは人民の災いである」が口癖でした。

ロベスピエールは国王の処刑、封建的特権の完全廃止など、強硬なまでに革命政策を推進し独裁体制をつくります。しかし、その恐怖政治は多くの人々の反発を招き、結局、クーデターで倒されたあげくギロチンの刑に処せられました。

フランス革命は1789年6月、非特権階級の第三身分議員がベルサイユ宮殿に隣接する球戯場（テニスコート）に集まり、憲法制定までは国民議会は解散しないと約束したことを始まりにします。これは「テニスコートの誓い」と呼ばれるものです。その後、立憲君主政を謳う1791年に憲法を制定し、「法による支配」を確立します。

にもかかわらず、1793年の夏にジャコバン派独裁の時期に入ると、早くも「人による支配」が出現してしまったのでした。

ロベスピエールが失脚したあと、ルソーの「平等教」は、フランソワ＝ノエル・バブーフという共産主義者に受け継がれます。バブーフは北フランスの貧しい家庭に生まれ、フランス革命の勃発とともにパリに出た人物です。そのバブーフの口癖は「私有財産は罪」でした。一種の共産主義思想に傾倒していくバブーフは、私有財産制の廃止を主張するようになります。彼は共産主義的独裁政権の樹立を目指して政府転覆事件を起こしますが、失敗し逮捕、処刑されます。

武装蜂起による権力奪取や
革命的独裁を唱えた
フランソワ＝ノエル・バブーフの理論は
マルクスに影響を与えた

しかし、バブーフの武装蜂起による権力奪取や革命的独裁の理論は、19世紀の人、カール・マルクスに影響を与えました。また、バブーフは1917年のロシア革命とソ連建国（1922）の父であるウラジミール・レーニンの先駆者でした。

さらにフランス革命政府において、ジロンド派政権からジャコバン派政権にかけて制定された「最高価格令」は商品価格や賃金の最高限度を設定したもので、まさに20世紀の社会主義計画経済の先駆でもありました。

つまり、1917年に始まるロシア革命とは、第二次フランス革命だったのです。平等の神聖視は、民衆の政治参加を絶対視して個人が国家と一体化すると考えるものです。それは、18世紀末から19世紀初頭を生きたドイツの哲学者ヘーゲルが論じた「国家」の在り方でした。ヘーゲルは、国家だけが人に自由をもたらし、人の政治参加により自由を手にできると説きました。

国家だけが人に自由をもたらし、
人の政治参加により自由を
手にできるという、国家の在り方を
説いたヘーゲル

しかし、「実態（世界史の展開）」はそうではありませんでした。国家による過剰なる統治が、人を不自由にしたのであり、フランス革命は「実態」そのものでした。

フランス革命という「平等」を神聖視した18世紀啓蒙の遺物は、19世紀に今度は「進歩」を神格化します。このようなパス回しを経て、20世紀になると社会主義国家の指導者へとボールが渡ったのでした。

暴力による革命を人類史の「変異」としたマルクス

ここで、チャールズ・ダーウィンの登場です。

ダーウィンが『種の起源』（1859）で示した「進化論」は、「自然淘汰（自然選択）」という仮説と虚妄で成り立っていました。ダーウィンの進化論が「適者生存」という造語の生みの親ハーバート・スペンサーの影響を受けたものであることを、ダーウィンは『種の起源』のなかで触れています。

同時代を生きたふたりは相互に影響し合い、後代「社会ダーウィニズム」なる語も誕生しました。これは、人間社会での差別や虐殺を「自然淘汰」として正当化するものです。本書ではワーストイレブンの監督にダーウィンを選びましたが、ゼネラルマネージャー（GM）を選ぶならスペンサーがふさわしいでしょう。

そして、ダーウィンの影響を受けたのがマルクスでした。マルクスがダーウィンの『種の起源』を読み、「神に致命的打撃を与えるものだ！」と歓喜したことは第1講で触れました。

マルクスは、父親がユダヤ教を棄教したことに起因するトラブルに巻き込まれたのを見て、宗教を憎悪し神を呪うようになります。「宗教はアヘン」と言い嫌ったとされるマルクスですが、その理由は父親のトラブルもあったのでしょう。

「今日までのあらゆる社会の歴史は、階級闘争の歴史である」

これは、マルクスと彼のマネージャーともいえるフリードリヒ・エンゲルスの共著『共産党宣言』の冒頭の一節です。

ふたりは『共産党宣言』でマルクス主義による暴力革命を正当化します。その思考には、ダーウィンが示した生物界における「変異説」を人間社会に重ねるという傾向がありました（たとえばフランス革命が変異であったと）。ですから彼らにとって、暴力による革命は「変異」であるわけです。なお、マルクスとエンゲルスは、それぞれ別個に自説がダーウィンの影響を受けたことを著作に書いています。

マルクスが大いに影響を受けたヘーゲルは、もとはといえば、「三位一体説」を採る神学者でした。三位一体説とは、父（神）と子（キリスト）、聖霊の三位は、唯一の神が3つの姿となって現れたもので、元来は一体であるとするキリスト教の教理です。

20世紀産のマルクス主義の国家は何かにつけて宗教的な色彩が色濃い印象を受けますが、それも必然と言えるのかもしれません。

また、「進歩史観」という言葉があります。これは、人類の文化は科学的、道徳的、社会的意識に関しても、時代の進展とともに、より完全なものに進歩すると考えるものです。ヘーゲル、マルクスも、多分に進歩史観の持ち主でした。

しかし——現実の世界は、彼らの考えるようには、決してならなかったのです。

思想のパスが「左翼社会主義者」へと渡り、そして「虐殺」が起きた……

人間の精神が永遠に「進歩」するといった思想は、フランス革命期の思想家コンドルセらの著作にありました。しかし、進歩を偶然でなく必然とする「進歩主義」や、過去や歴史を否定する「未来主義」は、スペンサーの手によってより加速します。

スペンサーが唱えた「社会進化論」は、人間社会が進歩的に発展していくと考えるもので、社会の発展段階は宗教、経済制度、婚姻制度などで決まるとしています。

この進歩主義が、マルクスの階級闘争史観、過去と歴史、慣習と伝統を軽視し革命を「必然」とする思考において花開いたのです。

そこに、ルソーが唱えた「平等」のための「一般意志」に主権を与え、かつそれを「熟知」する（と自身が勝手に考えた）共産党による独裁という、社会主義が大ブレイクしたのが20世紀だったのでした。

このように、あたかもボールを回すように思想がパスを経て、暴虐の「左翼社会主義者」、すなわちスターリン、毛沢東、ポル・ポトがシュート（残虐行為）を決めます。また、ヒトラーはダーウィンの「進化論」に大いに触発され、「適者生存ではない者」としてユダヤ人を扱い、強制収容所に送り込み殺害したのです。

なお、スペンサーの「社会進化論」は19世紀末のアメリカで大いにもてはやされました。当時のアメリカは産業革命のおかげで経済発展が著しく、経済の自由放任主義哲学が幅を利かせ、自由競争こそ至上のものとする風潮がありました。

もちろん、経済発展には貧困者の増加がつきものですが、それも人間社会が進歩的に発展していくうえでの自然淘汰となるので、スペンサーの思想は当時のアメリカ社会によって好都合だったのです。

ハイエクは人間社会の「進化」をどう見たのか？

このように、ダーウィンの進化論以降、「進化」という概念はさまざまな世界に取り入れられるようになりました。そこで社会科学において、その後、「進化」がどのようにとらえられてきたのか、少し考察したいと思います。

新古典派経済学の創始者とされるレオン・ワルラスやアルフレッド・マーシャル。新古典派経済学は、今なお影響力を持つ学派と言える

「設計主義」という語の生みの親で、社会主義を典型とするそうした考えを批判した経済学者のハイエクは、生物学的な進化理論を社会科学に導入することには慎重であり、むしろ両者の関係性は低いことを強調しました。

ハイエクの思想のキーワードは「自生的秩序」です。ハイエクは、社会進化とは秩序の形成であり、秩序自体に目的性はないとしました。しかも、進化そのものを人間はコントロールできないのだから、進化理論では、将来の展望も人の幸福も見えてこないと主張しました。

そして、進化をコントロールしようとする社会主義思想こそが「進化に逆行」する思想なのだとして、社会主義を批判したのです。

ハイエクが指摘するように、人間は進化をコントロールできません。たしかにコントロールはできないのですが、経済において市場とは、より多くの利潤を得ることができるという「選択」条件をクリアした者のみが「淘汰」されない場であり、進化とも呼べるような現象が起こり得る場でもあります。

これこそが、レオン・ワルラスやアルフレッド・マーシャルなどを創始者とする「新古典派経済学」が描く世界です。新古典派経済学では、生産者と消費者が価格に反応して自己の利潤や効用が最大となるように合理的に行動し、価格の変化を通して社会的な需要と供給の均衡が実現されると考えます。

そして、新古典派経済学がまさにハイエクによる「新自由主義」の発想の原点だったのです。

「進化」と「理性」は本当に人類を幸福にできるのか

国家による福祉・公共サービスの縮小、いわゆる「小さな政府」「民営化」と、大幅な規制緩和や市場原理主義を重視する経済思想――ハイエクの理論を全面的に導入したのが、1979年にイギリス首相の座についた「鉄の女」マーガレット・サッチャーでした。

イギリスは「サッチャリズム」と呼ばれる、競争原理の導入と民間活力による市場の活性化で、第二次世界大戦後の社会・経済の長期停滞「イギリス病」の克服を目指しました。

サッチャリズムは、やがてアメリカのロナルド・レーガン大統領の「レーガノミクス」へ移植され、レーガンと「ロンヤス」と呼び合う仲にあった中曽根康弘の国鉄分割民営化（1987〜）へと転用されます。その後、小泉純一郎の「聖域なき構造改革」も、この流れから行われたものでした。

しかし、新自由主義は弊害を生みました。それは貧富の差の拡大、弱肉強食という実力主義の世界の現出です。

レーガン大統領（当時）とサッチャー首相（同）。サッチャー首相による経済政策「サッチャリズム」は、レーガノミクスへ移植され、日本の中曽根康弘による国鉄分割民営化へと転用された

パリに本部がある、経済学者トマ・ピケティらが運営する「世界不平等研究所」が2022年に発表した統計（2021年の世界における富の分布）では、世界上位1パーセントの超富裕層の資産は、世界全体の個人資産の37・8パーセントだとしています。しかも、下位50パーセントの資産は、全体の2パーセントにしか満たないというのです。

イギリスの進化生物学者ジュリアン・ハクスリーは、こう言っています。

「進化は道徳を欠く」

17世紀から18世紀にトレンドとなった社会契約説という、いわば「合理主義的設計」に懐疑の眼差しを送り続けた人物に、イギリスの哲学者デイヴィッド・ヒュームがいました。彼は著書『人性論』において、こう記しています。

「道徳は人間の理性の結果ではない」

人間が「進化」によって手にした最大のもの、それは「理性」でしょう。しかし、理性が本当に人類を幸せにしたのか？　ここまでのグランドデザインを見る限り、進化や理性が「道徳」を伴うものなのかということに対しては、大きな疑問を抱かざるを得ません。

仮に、この世界に「設計者（神）」が存在し、「設計者」に目的（人類の幸福？）があったとして、「設計者」の目的を除外した進化論、あるいは何らかの進化論的な考えで、無目的性を克服して目的を正しく見出せるのか？

進化しているはずなのに弱者を生み出し、多くの人の命を奪うことさえ伴う……。じつは挫折に服し、人間が人間自身に希望の根拠を持てなくなっているということでしょうか。

さて、いささか観念的な内容になってしまいましたが、この講では、カルヴァン、ルソー、ダーウィン、マルクスという、暴虐の世界史の思想的なキーマンを中心に、思想の伝播についてお話ししてきました。しかし、暴虐の世界史を語るうえで、もうひとつ重要なものがあります。

それが、キリスト教です。

そこで次講では、キリスト教の暴虐の世界史についてお話ししたいと思います。

第5講

地上における「神の代理人」

●虐殺に深く関わった「神の代理人」たち

キリスト教は392年、テオドシウス帝によってローマ帝国の国教となりますが、その直後の395年にローマ帝国は東西に分裂します。また、東西でキリスト教に対する解釈に相違が出ており、それぞれ独自の傾向を示していました。その後、1054年になると「西方教会（ローマ・カトリック）」と「東方教会（正教会）」に分裂しました。

西方教会は西ヨーロッパを中心に信者を増やしていき、1517年に始まる宗教改革を経てカトリックとプロテスタントに分かれます。一方、東方教会がのちの「正教会」で、東方正教会、ギリシア正教などとも呼ばれる教派となり、小アジアを中心にギリシア、東欧、ロシアへと広がり信者を増やしていきます。

ところで神は、私たちが生きる現実の世界において肉眼では認識できません。そこで、人々を指導する「神の代理人」が必要だと称する者が現れます。

西方教会と東方教会では、分裂以前から「神の代理人」のとらえ方が異なります。

たとえば西方教会側でもカトリック教会では、「神の代理人」は宗教的権威であるローマ教皇です。そして、それは政治的権力であり、世俗的権力である神聖ローマ皇帝などとは明確に分けられていました。

一方、東方教会側では、「天上の神」の「地上における代理人」の初代が在位306〜337年のローマ皇帝コンスタンティヌスです。395年にローマ帝国が東西に分裂したあとは、東ローマ（ビザンツ）皇帝がそれを自任しました。

これが狭義の意味での「神の代理人」ですが、広義ではローマ教皇はもちろんのこと、ルターやカルヴァンの教義を統治の理念に援用する政治指導者も、世界史に登場するすべてのキリスト教関係者も「神の代理人」と言えます。もし、そこから除外するとしたら、使徒ペテロや使徒パウロでしょう。なぜならば、彼ら1世紀の使徒たちは中立を保ち、政治には関与しませんでした。「神の代理人」たる振る舞いは絶無だったからです。

本書では広義の意味での「神の代理人」を採用したいと思います。そして、「神の代理人」のなかには、虐殺に深く関わってきた者たちもいるのです。

権威失墜のローマ教皇とバチカンの落日

中世の西ヨーロッパで、まさに「神の代理人」として権勢を振るっていたローマ教皇とバチカン（ローマ教皇庁）も、1648年のウェストファリア条約で信仰の自由が承認され、主権国家体制が成立すると、やがてその権威は徐々に低下していきます。

そして1789年にフランス革命が起きると、非キリスト教化を進めた革命政権とローマ教皇は断絶します。しかも、最大のカトリック教国のスペイン帝国はすでに衰退しており、フランス革命政権との断交はさらなる痛手でした。

その後、フランスの皇帝となったナポレオン1世が、権力の強化のためにバチカンとの関係修復を図りますが、彼がイタリア共和国を王国に改め国王の座に就くと暗転します。ナポレオン1世はイタリアの各地に続き、教皇領をも併合したからです。

教皇領とは、ローマ教皇の主権下にある領土を指し、古代からのたび重なる寄進などによって拡大していました。教皇領は教皇が世俗君主に対して優位に立つ、経済的基盤でもあったのです。

この時期、教皇領はイタリア半島の中部の大部分を占めていました。面積にして約4万7千平方キロメートルだったというのですから、約3万2千平方キロメートルの関東地方よりひと回り大きい領土となります。それを失ったのですから、ローマ教皇とバチカンにとっては大きな衝撃でした。

その後、ナポレオン1世の没落に伴い教皇領も復活しますが、1859年、イタリアの統一を目指すサルデーニャ王国がオーストリアとの間に戦争（イタリア統一戦争）を起こすと、再び暗転します。

イタリア統一戦争の結果、1861年にイタリア王国が成立します。イタリア王国は教皇に従属を求めますが、教皇は世俗の国王への従属を拒否します。しかし、1870年9月にイタリア王国軍が教皇領を占領すると、教皇領はイタリア王国に併合されることになりました。そして翌年、ローマはイタリア王国の首都となり教皇領は完全に消滅、ローマ教皇はバチカンに閉じ込められてしまいます。

これが「ローマ問題」と呼ばれるもので、その解決は1929年、イタリア王国首相のベニート・ムッソリーニがラテラノ条約をローマ教皇と結び、バチカン市国の独立が認められるまで待たなければなりませんでした。

ここでムッソリーニの名前が登場しましたが、世界はファシズムの台頭、そして「戦争の世紀」である20世紀を迎えつつありました。そこで、ふたつの世界大戦の最中で、「神の代理人」たちがどう立ち振る舞ったのかについて見ていきたいと思います。

サライェヴォ事件を動かした教皇とセルビアの条約「コンコルダート」

「第一次世界大戦のきっかけとなった事件は？」

こんな質問をされたら、何と答えるでしょうか。

「サライェヴォ事件」

そうです。大正解です。

ではまず、サライェヴォ事件の概要について、簡単におさらいしましょう。

1914年6月28日、サライェヴォでオーストリア・ハンガリー帝国皇位継承者フランツ・フェルディナント大公夫妻が暗殺されます。犯人はオーストリア併合に反対するパン・スラヴ主義のセルビアの青年でした。

パン・スラヴ主義とは、19世紀初頭に生まれた、バルカン半島のスラヴ系民族の独立と統一を目指す思想で、ロシアのあと押しもあり、この時期いっそうに熱を帯びていました。

ロシアが背後についた理由は、ロシアがスラブ系民族の国であると同時に、パン・スラヴ主義を対外的な膨張政策のイデオロギーに利用しようとする狙いがありました。

この事件の1カ月後、オーストリアはドイツの援助のもとにセルビアに宣戦を布告します。

こうして世界史上初の総力戦、第一次世界大戦が開戦しました。

じつは、サラィエヴォ事件の数日前の6月24日、バチカンがセルビアと「政教条約」を結んでいます。

政教条約とは「コンコルダート」とも呼ばれるもので、ローマ教皇と国王や国家など政治的権力者との間で、双方に重大な利害関係のある事柄について締結される条約です。

この政教条約は、パン・スラヴ主義を追い風にセルビアが国内の統治力を強化し、ドイツ勢

オーストリア・ハンガリー帝国皇位継承者
フランツ・フェルディナント大公夫妻と
サラィエヴォ事件の暗殺の場面を描いた
当時の新聞の挿絵

第一次世界大戦当時のヨーロッパの状況

サライエヴォ事件をきっかけとして、
三国協商、三国同盟の陣営に分かれ、
各国が争う第一次世界大戦が勃発

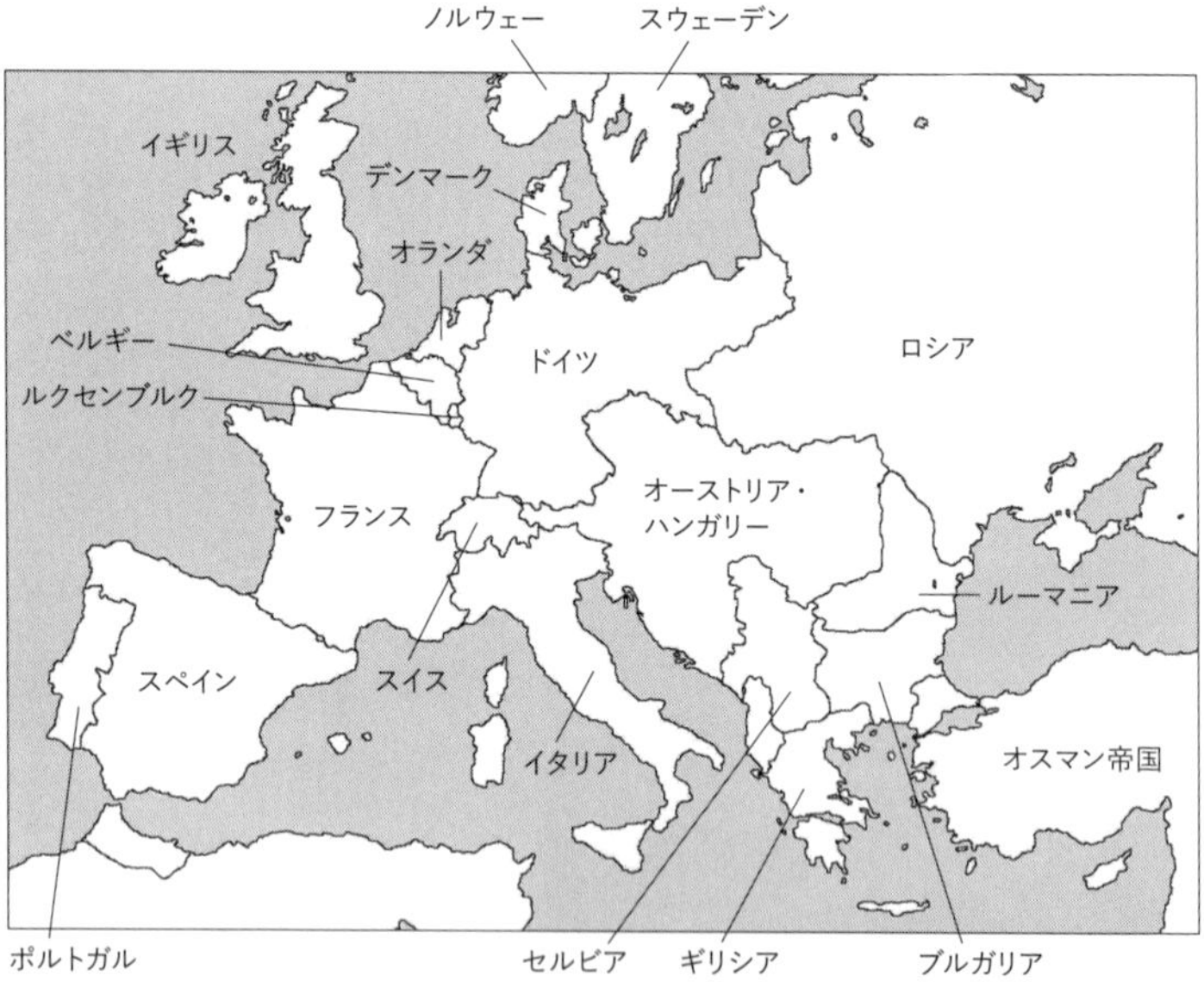

同盟国側

ドイツ、オーストリア・ハンガリー、
オスマン帝国、ブルガリア

連合国側

イギリス、フランス、ロシア、日本、ポルトガル、
イタリア、セルビア、ギリシア、ルーマニアなど

中立

オランダ、ベルギー、スペイン、ノルウェー、
デンマーク、スウェーデン、スイス、アルバニア

力を後ろ盾とするオーストリア・ハンガリー帝国の支配からの離脱を意図して、バチカンと締結した条約でした。

一方、政教条約を結ぶことでバチカンはセルビア国内で宗教活動を主導でき、聖職者の特権や教会財産に関する取り決めに関わることができます。

当時、オーストリア・ハンガリー帝国を支配していたのはハプスブルク家です。政教条約によって、ハプスブルク家は、セルビア国内のカトリック教会に対して保有していた、さまざまな利権を失います。

この政教条約の締結を知ったオーストリアの新聞が、「(外交上の)敗北だ!」と報道します。対するパン・スラヴ主義者の反感も高まったことでサラィエヴォ事件は起きたのです。

この皇位継承者暗殺事件に対し、オーストリア・ウィーン政府の強硬派は過敏に反応します。こうしてセルビアに対する開戦を要求するに至り、第一次世界大戦の火蓋が切って落とされたのです。

反共産主義・反ユダヤ主義のバチカンの外交官パーチェリ

バチカンとセルビアの政教条約の道筋を描いた人物が、バチカンの外交官パーチェリです。

パーチェリはのちにローマ教皇に選出されピウス12世となり、ヒトラー内閣の成立に深くかかわっていきます。

ローマ教皇ピウス12世に就任する前のパーチェリは、バチカン外交の中心人物でした。パーチェリは赴任先のドイツ帝国で、皇帝ヴィルヘルム2世とあることを確認し合っていました。それは、ロシアからの共産主義革命の脅威に対して、ドイツ帝国と全カトリック教会の組織が共同戦線を張って対抗するというものでした。

パーチェリは宗教を〝アヘン〟として否定するマルクス主義の拡大を避けたかったのです。さらに彼は、ユダヤ人をボリシェビキ革命（共産主義革命）の本丸であるとの見解も示しています。

ユダヤ人に対する迫害、虐殺というとヒトラーのイメージが強いのですが、宗教や人種を理由にユダヤ人を差別、排斥しようとする考えは古くからありました。それは聖書の時代から見ることができますし、カトリック教会も深く関わっています。

12世紀から13世紀に行われたキリスト教の会議「ラテラノ公会議」では、ユダヤ教徒の衣服と居住区が決められています。また、すでに触れたように、宗教改革で知られるルターも反ユダヤの姿勢を見せており、反ユダヤ主義は、西ヨーロッパのキリスト教文明においては中心にあった考えだったのです。

人々が帰依する宗教が反ユダヤ主義をはらむのですから、当然、社会にもそれは根づいていました。14世紀に黒死病（ペスト）が流行した際は、「ユダヤ人が井戸に毒を盛った」といった噂が流布しユダヤ人が追放されましたが、こういった迫害は当たり前のように行われていました。

さらにはダーウィンの進化論に触発され、スペンサーが提唱した「社会進化論」はヒトラーにも影響を与えています。社会進化論の「適者生存」という考え方のもと、ユダヤ人は「断種」の対象とされたのです。

バチカンの外交官であり、のちにローマ教皇に選出されピウス12世となるパーチェリ。彼はヒトラー政権の誕生に深くコミットした

このように、西ヨーロッパには反ユダヤ主義が深く根づいていたのですから、パーチェリが反ユダヤ主義者であっても不思議ではなく、ヒトラーとベクトルが一致するのも必然だったのでしょう。

ヒトラー内閣成立を仕組んだカトリック系の異端政治家

ではここで、ヒトラー内閣成立の過程を見てみましょう。

1932年7月の選挙でナチスは第一党となっていましたが、ヒトラーに不信感を抱いていた当時のヒンデンブルク大統領は、ヒトラーに組閣を命じませんでした。

ここで登場したのが、カトリック系の中央党の異端の政治家フランツ・フォン・パーペンでした。パーペンは元首相シュライヒャーから、「比較するとユダ・イスカリオテ（イエス・キリストを裏切った人物）が聖人となるほどの裏切り者」と評された人物でした。

パーペンはドイツにヒトラー内閣を成立させるため、カトリック・アクション（カトリック教会指導下での社会改革運動）へと、産業界の指導者たちを結集させました。そしてその裏取引の一環として、ヒトラー内閣の副首相の座に就くことになります。

そのためにパーペンはひそかにヒトラーと接触し、またヒンデンブルク大統領を説得し、さらにはバチカンとナチスの政教条約を用意したのです。

軍部や資本家の圧力に屈し、大統領のヒンデンブルクがヒトラーを首相に指名したのが1933年1月。ナチス政権の誕生です。

同年2月にはドイツ国会議事堂放火事件が起き、これを機にヒトラー内閣は緊急令による独裁権を行使します。放火事件の犯人を共産党員と断定し、共産党を徹底的に弾圧し、政党活動ができない状態にまで追いつめます。

ただ、ナチスは単独では過半数の議席には達していなかったので、ヴァイマル議会と憲法を停止する全権委任法案を、合法的に可決・成立させることができませんでした。そこでヒトラーは、カトリック系の中央党の党首に近づきます。

カトリック系の中央党の異端の政治家フランツ・フォン・パーペン。彼はバチカンとヒトラーの政教条約を用意し、のちにヒトラー内閣の副首相に就任する

ヒトラー独裁政権成立への「ラストパス」を出したパーチェリ

この時期、ドイツの教会を指導する司教たちは、一貫して反ナチ的態度を変えていませんでした。「ナチスの思想はキリスト教会の教えと相容れない」と主張し続けており、バチカンはナチス政権と政教条約を締結することに、反対する姿勢を崩しませんでした。

ところが驚いたことに、教皇ピウス11世とパーチェリ（のちのピウス12世）は、ヒトラー内閣成立直後におけるナチス政権の宣言が、表面的ではあるがキリスト教信仰の宣伝をしていることを高く評価します。

さらに、ヒトラーこそバチカンがもっとも恐れ憂慮している共産主義に徹底抗戦することを公言した、最初にして唯一の国家元首であるとしたのです。

教皇ピウス11世とパーチェリの言葉の威力は絶大でした。カトリック系の中央党は態度を一変させます。

1933年3月23日、全権委任法案が圧倒的多数で可決されますが、これは中央党が参加したからにほかなりませんでした。そして、ここにヒトラー独裁政権が誕生したのです。

さらに同年の4月10日に、パーチェリとパーペンの間で政教条約をめぐる交渉が行われ、7

月20日には、パーチェリとヒトラー内閣副首相に就任したパーペンが、バチカンで条約に署名します。

当時、この政教条約なかで、ふたつの条項が秘密にされました。それには明らかな理由がありました。

その条項とは、ソ連に対抗するためにヒトラー政権とバチカンが共同戦線を張ることと、ドイツの軍隊に徴兵されていたカトリック司祭の責務に関するものでした。なぜなら、カトリック司祭を徴兵することは、ヴェルサイユ条約に違反する行為だったからです。

ヴェルサイユ条約は、1919年6月に連合国とドイツの間で締結された第一次世界大戦の講和条約です。ドイツにとっては報復的で厳しい内容で、軍備制限、賠償金などが課せられていました。

第一次世界大戦に敗れたドイツは、依然としてこの条約に手足を拘束されていたのです。ナチス政権のドイツとバチカンで交わされた政教条約における、先の条項が一般に知られたなら、ヴェルサイユ条約の他の調印国は敏感に反応したことでしょう。

このように、ヒトラー独裁政権成立の「ラストパス」を出しアシストしたのが、のちの教皇ピウス12世、パーチェリだったのです。

ナチスのユダヤ人虐殺を「黙認」したピウス12世

パーチェリが教皇ピウス12世に即位するのは、1939年3月。そして、この年の9月1日にドイツがポーランドに侵攻し、第二次世界大戦が勃発します。

パーチェリは約20年間、ローマ教皇を務めます。彼は、1958年に死亡しますが、ユダヤ人に対する謝罪や遺憾表明をすることは、いっさいありませんでした。

しかし、彼のあとを継いだ教皇ヨハネス23世は、即位後ただちにそれを実行します。そのあとに続いた教皇たちも、ユダヤ人に対して遺憾の意を表明しています。

教皇ヨハネ・パウロ2世は、西暦2000年の「大聖年」にあたり、「2000年間に教会が犯した過ち」を認めました。そこには、十字軍、異端審問、魔女裁判、先住民族への侮辱などに加え、ユダヤ人に対して犯した罪も含まれていました。

では、パーチェリ（教皇ピウス12世）が沈黙を保ったのは、なぜだったのでしょうか。

そもそも、ナチスによるユダヤ人虐殺を、ヒトラーに近い存在であるパーチェリが知らないわけがありません。彼は「聖職者の判断」で虐殺を非難するのではなく、ヒトラーとの「政治的な取り引き」を優先させて、ナチスのユダヤ人虐殺を「黙認」したのです。

ヒトラーが目指したのは、第一帝国を神聖ローマ帝国、第二帝国をビスマルクの建てた帝政ドイツとみなし、それを引き継ぐ国家、ナチス支配体制下の「第三帝国」の成立でした。

パーチェリはヒトラー政権成立の便宜を図ったパーペンの計画のなかに、ナチス政権を擁して権力の座に返り咲いたバチカンを、そして、一層強力になったカトリック教会の未来像を描いたのかもしれません。

また、神聖ローマ帝国は、962年の教皇ヨハネス12世によるオットー1世への戴冠を起源とします。そのヨハネス12世にみずからの姿を重ね、歴代教皇のなかでも、ひときわ威厳に満ちた「神の代理人」としての自分を夢見たのかもしれません。

いずれにしても、ヒトラーが独裁、侵略や迫害という虐げを人々に行っていた同時期に、パーチェリは無数の魂に対する、霊的独裁とでも呼ぶべき野心を燃やしていたのです。

6つの共和国から成る「モザイク国家」ユーゴスラヴィア

ひとつの連邦、ふたつの文字（ラテン、キリル）、3つの宗教（カトリック、ギリシア正教、イスラム教）、4つの言語（スロヴェニア、クロアチア、セルビア、マケドニア）、5つの民族（これにモンテネグロ族）、6つの共和国（これにボスニア・ヘルツェゴヴィナ）、ついでに7つの国境……。

「モザイク国家」旧ユーゴスラヴィアの独立と国連加盟

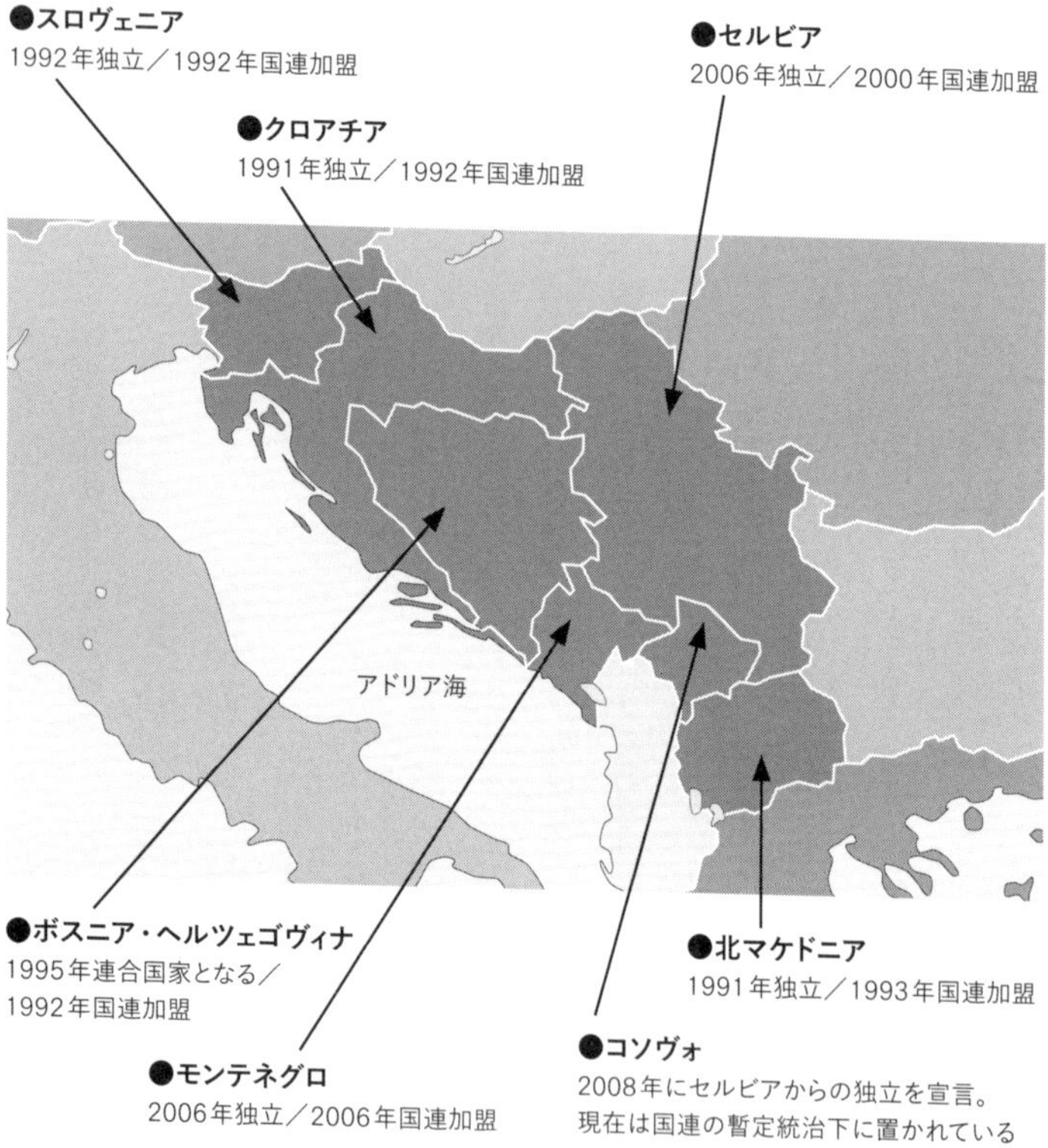

これは、旧ユーゴスラヴィア（1929～1991）の複雑な状況を形容したものです。ユーゴスラヴィアは典型的なモザイク国家だったのです。

第一次世界大戦で、オーストリアのハプスブルク家とオスマン家のトルコ帝国が敗北し、1918年に人工国家セルブ・クロアート・スロヴェーン王国が建国されました。「人工国家」と表現したのは、スロヴェニア人、クロアチア人、セルビア人を、なかば強引に束ねてつくった国家だからです。

1929年、セルブ・クロアート・スロヴェーン王国はセルビア人主導のユーゴスラヴィア（南スラヴ族の国の意）王国と改称されます。ところが、クロアチア人は不満でした。この不満に乗じたのがバチカンとヒトラーでした。

1939年に第二次世界大戦が勃発すると、ドイツは1941年にルーマニア油田を目指しバルカン半島に侵攻します。それに伴いセルビア人の国王独裁であったユーゴスラヴィア王国が崩壊します。

1941年の初頭から、クロアチア人の結社ウスタシャにより、クロアチア人がおもに住む各地でセルビア正教徒やユダヤ人、ロマ（ジプシー）に対する強制改宗や大量虐殺が行われていました。ウスタシャは1930年に、クロアチア人の政治家、軍人であるアンテ・パヴェリッチが亡命先のイタリアで設立したファシスト集団です。なお、セルビア正教とは東方教会の流れをくむ正教会の一派です。

ファシズム国家クロアチア独立国の成立

1941年、ウスタシャは枢軸国の支援を受け、イタリアの傀儡国家「クロアチア独立国」の建国を宣言します。その際、「独立は神の意志、祖国のために血を流すことが必要」と叱咤激励したザグレブ大司教などと手を組み、セルビア人を多数虐殺したと言われています。

もともと、カトリックのクロアチア人とセルビア正教のセルビア人との間には、中世以来の激しい民族的、宗教的対立感情がありました。それが一気に表面化したのです。

実際の総数、場所、殺害方法は、現代史であるにもかかわらず不明なことも多いのですが、虐殺の標的になったセルビア人は、当時の人口630万人のうちの約30パーセントと推定されています。

そのなかで、後世に語り継がれたのが「グリナの虐殺」でした。

これは1941年に、クロアチア独立国中部の都市グリナで、ウスタシャがセルビア人の農民2千から2千400人を殺害した事件です。第二次世界大戦の終戦まで見ると、多数のセルビア人虐殺被害者のうち、1万8000人以上がグリナの住民でした。

カトリック教会はウスタシャ部隊に従軍司祭を多数送りますが、蛮行に直接携わったのがフランシスコ会の修道士たちでした。フランシスコ会とは、カトリック教の聖人フランシスコによって1209年に創立された托鉢修道会（修道院外で布教活動を行い、信者の喜捨によって生活する修道会）です。

また、クロアチア独立国内ではセルビア正教の司祭など、宗教関係者600人弱のうち200人以上が殺害される、あるいはドイツ占領下のセルビアに追放されました。その殺害方法は、ナイフ、ハンマー、斧、肉切り包丁など、じつに残虐なものでした。

1941年4月にパヴェリッチはローマを訪れ、ムッソリーニ政権と条約を締結したあと、バチカンを訪れます。ローマ教皇ピウス12世に謁見した彼は、その地位をピウス12世に認められ、クロアチア独立国もバチカンに承認されました。

クロアチア人によるセルビア人に対する蛮行が行われていた時期と、教皇によるクロアチア独立国承認はまったく同時期でした。

クロアチアには、組織化されたカトリックのネットワークがあるのですから、ピウス12世が事態を把握していなかったとは考えられません。バチカンがクロアチアの過激な聖職者の行動を阻止しようという動きも、また非難する声明も聞かれませんでした。ピウス12世は、ここでも「黙認」したのです。

1941年、クロアチア独立国は単独で日独伊三国同盟に加盟します。ドイツのソ連、アメリカ、イギリスに対する宣戦布告に追随し、第二次世界大戦ではファシスト国家のひとつとして戦火に身を投じたのです。

しかし1945年5月、ドイツの降伏に伴いクロアチア独立国も敗戦となります。このようにして、クロアチア独立国は消滅したのでした。

しかし、クロアチア独立国が地上から姿を消しても、ウスタシャによるセルビア人虐殺の傷が消えることはありませんでした。そして半世紀後、この虐殺の揺り戻しとも言える悲劇がユーゴスラヴィアで起きてしまうのです。

冷戦の終焉でユーゴスラヴィアが解体に

1945年、第二次世界大戦の終戦とともに、6つの共和国からなるユーゴスラヴィア連邦人民共和国が発足します。初代元首に就いたのは、ドイツに対する武力抵抗を指導してきたユーゴスラヴィア共産党のティトー（本名ヨシップ・ブロズ）でした。

ティトーにはカリスマ性がありました。ユーゴスラヴィア連邦人民共和国もまた人工国家でしたが、ティトーのカリスマ性があたかも接着剤のような役目を果たし、6つの共和国をまとめ上げていたのです。

余談になりますが、私が1982年にユーゴスラヴィアに行ったときに、列車の窓から見える山腹に「Tito」と大きく刻まれていたのには驚きました。

東西冷戦の最中、ユーゴスラヴィアは当初、ソ連を中心とした東側諸国の一国でした。しかし、ティトーはスターリンの個人崇拝を疑問視し、独自の民族主義的社会主義の政策を採ります。そのためソ連共産党と対立し、ユーゴスラヴィアはどの陣営にも加わらない非同盟主義の国家となります。

6つの共和国からなるユーゴスラヴィア連邦人民共和国の初代元首・ティトー

そのティトーは1980年に死去します。しかし、ティトーが死んでもユーゴスラヴィアは解体しませんでした。それは東西冷戦という、一種の秩序があったからです。

しかし1989年、冷戦が終結すると状況は一変します。1991年にはソ連邦が崩壊。その瞬間、ユーゴスラヴィア内部では「ティトー独自の共産主義」という接着剤が剝げ落ち、国家の解体が始まったのです。

まず、スロヴェニアとマケドニアがユーゴスラヴィア連邦人民共和国から離脱、次にクロアチアが離脱します。それに伴い、ユーゴスラヴィア内戦が始まりました。

「民族浄化」という名の虐殺

当時、セルビアの大統領はスロボダン・ミロシェビッチが務めていました。ミロシェビッチはセルビア人が少数派となっている地域で同胞を助け他民族を攻撃し、セルビア国内での人気を維持するという政治家でした。

1997年に新ユーゴスラヴィア大統領に就任したスロボダン・ミロシェビッチ。のちに非人道的な民族浄化の首謀者として国際裁判で起訴されるが無罪を主張。そして、2006年に死去した

ユーゴスラヴィア内戦が始まりセルビアとクロアチアが戦火を交えたあとに、まず、クロアチアが独立宣言をします。その後、他の共和国も独立宣言をして、1992年にユーゴスラヴィア連邦人民共和国は事実上、崩壊します。

そして、ボスニア・ヘルツェゴヴィナの独立を機に、ボスニア・ヘルツェゴヴィナ

紛争が勃発します。その最中、ミロシェビッチの指揮の下で、セルビア人勢力がムスリム人とクロアチア人に対する虐殺を行います。

これを「民族浄化（エスニック・クレンジング）」と言いますが、その内実は、男性は殺し、女性には性暴力という残虐行為以外の何物でもありませんでした。なお現在、これと酷似することが新疆ウイグル自治区で進行中のようです。

1995年7月には、スレブレニツァというボスニア東部の町で、民族浄化を謳うセルビア人勢力による事実上の大虐殺が発生します。「スレブレニツァの虐殺」と呼ばれる事件で、イスラム教徒の男性住民約8千人が殺害され、行方不明となったのです。

同年、北大西洋条約機構（NATO）軍による大規模な空爆で、セルビア人勢力は大きな打撃を受けます。そして国際連合が介入し、ボスニア・ヘルツェゴヴィナ紛争は終結したのです。

ボスニア・ヘルツェゴヴィナのビテス周辺で殺害された人々の遺体

1991年に始まったユーゴスラヴィアの解体を契機に、人々は民族、そして宗教で分断され、互いが互いを敵視するようになりました。

そのときセルビア人の脳裏には、第二次世界大戦時に被った、あのウスタシャによる大虐殺の苦い思い出が過ったことでしょう。まずは恐怖がよみがえり、それが復讐へと昇華した……。セルビア人による民族浄化という名の大虐殺は、クロアチア人によるセルビア人虐殺の揺り戻しだったのです。

セルビアの大虐殺でも「神の代理人」は沈黙したのか

セルビア人による民族浄化の背景には、宗教と民族、すなわちナショナリズムがありました。そしてミロシェビッチは、国内のナショナリズムの高揚を利用し、セルビア国内のコソヴォ自治州の多数を占めるアルバニア人（イスラム教徒）に対する武装闘争を展開します。いわゆる「コソヴォ紛争」です。

1389年、セルビア王国はオスマン帝国との戦いに敗れ、支配下に置かれ首都コソヴォを奪われました。以後、イスラム教に改宗したアルバニア人がコソヴォに入植します。

1913年にはバルカン戦争でセルビアがトルコに勝利し、コソヴォを奪回します。そして、第二次世界大戦後、コソヴォはユーゴスラヴィア連邦人民共和国を構成するセルビアのなかの自治州となります。こういった歴史的背景もあり、コソヴォはセルビア人、アルバニア人双方にとって、譲れない地であったのです。

紛争によって破壊され、廃墟と化したコソヴォの当時の様子

１９８７年にセルビア共和国の実権を握ったミロシェビッチは、１９８９年、屈辱の６００周年目に憲法を修正し、それまで約束されてきたコソヴォの自治権を剝奪します。これが、紛争の直接的な契機でした。

紛争は激化し、コソヴォのアルバニア系住民の自治要求が高まるのを見て、ミロシェビッチは１９９８年にセルビア治安部隊をコソヴォに派遣します。セルビア治安部隊はコソヴォ解放軍を掃討しますが、この過程でセルビア人による残虐行為が行われました。

このセルビアのコソヴォにおける虐殺を、正当な武力行使だとしてロシアのエリツィン政権は支持します。しかし、イギリスのブレア政権、アメリカのクリントン政権の主導のもと、ＮＡＴＯ軍は１９９９年にセルビアの首都ベオグラードを空爆し、セルビア人勢力を撤退させました。

２００３年に新ユーゴスラヴィア連邦（１９９２年にセルビアとモンテネグロが結成）が解体し、２００６年にはモンテネグロ、セルビアがともに単独国家となります。また、２００８年にコソヴォがセルビアから独立し、結局ユーゴスラヴィアは７つに解体しました。

とは言え、コソヴォについては日本など１１３カ国が独立を承認していますが、セルビア、ロシア、中国、スペインなどは独立国として承認していません。

なお２００１年、ミロシェビッチは逮捕され、旧ユーゴ戦争犯罪国際法廷から起訴されました。しかし２００６年、ミロシェビッチは公判中に拘置所独房で死亡します。

ミロシェビッチの起訴理由は、大量虐殺、殺人、レイプ、虐待、住民追放など、なんと66項目にも及ぶ残虐行為に関与していたという、前代未聞のものでした。

さて、最後にセルビアでの虐殺に対し、セルビアの「神の代理人」、すなわちセルビア正教会はどう対応したのかを見たいと思うのですが……私の調べたところでは、目立った動きは見えてきません。非難する声明も出していませんし、虐殺の被害者に対する哀悼の意も示していません。そこには「沈黙」があるのみです。

ナチスによるユダヤ人虐殺とクロアチア人によるセルビア人虐殺を「黙認」したローマ教皇ピウス12世同様に、セルビア正教会もまた「黙認」したのでしょう。

第6講

「ハム仮説」というフィクションと悲劇

100日間で約80万人が虐殺された「ルワンダ虐殺」

1994年、ルワンダでツチ族市民とフツ族の穏健派に対するジェノサイド（大量虐殺）が行われました。ルワンダ虐殺です。手を下したのはフツ族の過激派民兵で、対立していた少数派のツチ族はおろか、多数派で同胞であるフツ族であっても自分たちに同調しない者は殺すという、無差別ともいえる虐殺でした。

植民地化以前、アフリカ東部ルワンダ中央部には、ニギニャ王国というツチ族の王が支配する国がありました。この王国は18世紀に全ルワンダを統一したあと、19世紀末にドイツ領東アフリカに組み込まれます。

その後、ルワンダは第一次世界大戦でドイツが敗れると、国際連盟の委任統治領、第二次世界大戦後には国際連合の信託統治領として、ベルギーに支配されます。また統治下では以前から、牧畜系ツチ族と農耕系フツ族という区分の固定化がなされていました。

1959年に入ると各地で暴動が起こり、1961年にはフツ族のエリート層による革命でツチ族の王制が廃止され、ルワンダ共和国が建国されました。そして1962年にベルギーの信託統治からの独立を果たします。

この渦中で、ツチ族の王は隣国ウガンダに難民として逃れ、そこでツチ族の難民たちがルワンダ愛国戦線（RPF）を結成します。そして1990年、RPFがルワンダ北部に侵攻したのが引き金となり、内戦が勃発しました。

この内戦はいったん収拾をみますが、1994年に再燃します。そして、わずか100日間で80万人を超える人々が虐殺される惨事が引き起こされたのです。

この大量虐殺を語る上で欠かせないキーワードがあります。それが「ハム仮説」です。

世界の民族はノアの3人の息子がルーツ

キリスト教の風土があるヨーロッパでは、世界のすべての民族は『旧約聖書』のノアの3人の息子セム、ハム、ヤペテから分かれ出たと信じられていました。ノアの3人の息子のうち、セムはおもにユダヤ人や中近東の諸民族、ハムはおもにアフリカ大陸や中近東の諸民族、ヤペテは欧米人やインド人など、それぞれの先祖になったと考えられていたのです。

世俗化した現代人には理解しがたいかもしれませんが、当時の聖書に対する原理主義的な理解はこのようなものでした。

これを背景に「ハム仮説」という人種論がありました。それは、アフリカ文明は土着のアフ

ベルギー統治時代のルワンダの状況

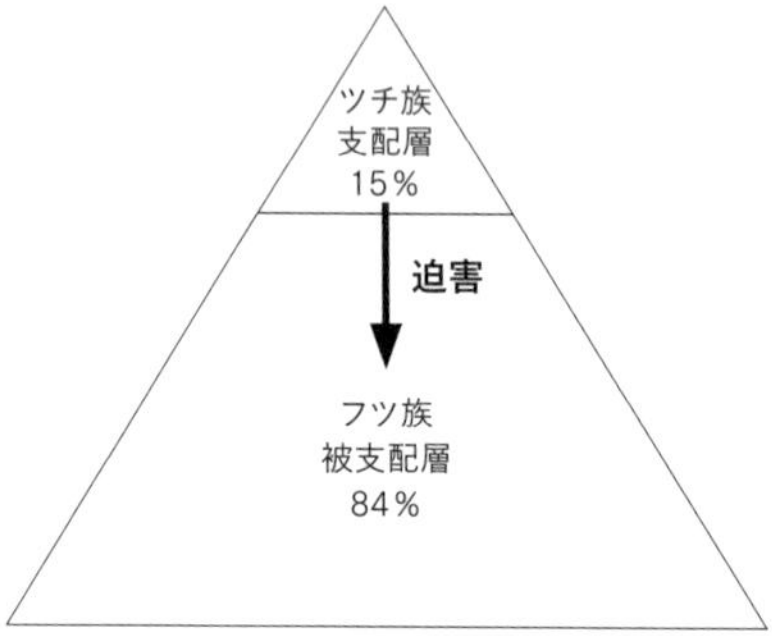

ルワンダはフツ族84%、ツチ族15%、トゥワ族1%という民族で構成されており、フツ族とツチ族は長年対立していた。ベルギーは当初、多数派のフツ族を冷遇し、少数派のツチ族を優遇する政策を採るも、1950年代半ば以降、アフリカで独立機運が高まってくるとフツ族を優遇する政策へと転換。フツ族から大統領が誕生したことで、フツ族とツチ族の立場は逆転した

独立後のルワンダの状況

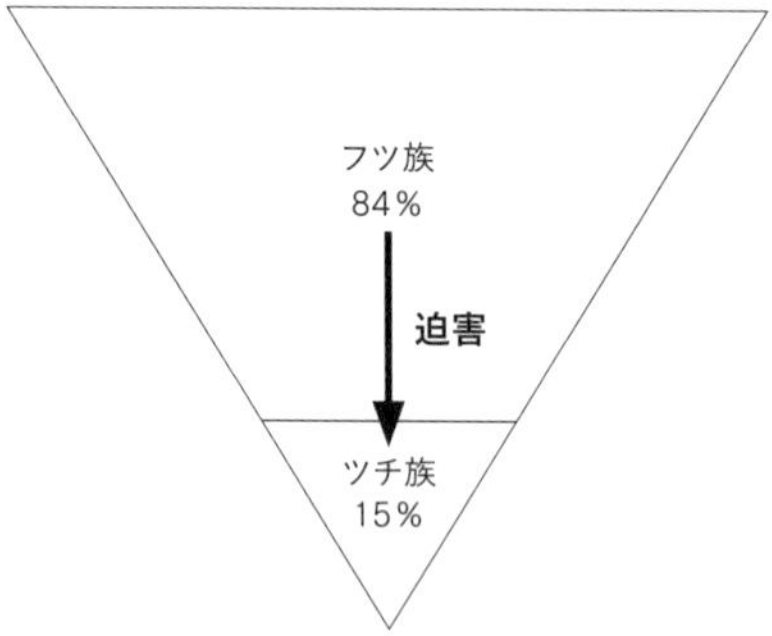

フツ族によるツチ族への迫害によってツチ族は難民となり、隣国ウガンダへ追いやられることに。のちに難民たちはウガンダで反政府組織「ルワンダ愛国戦線(RPF)」を結成し、ウガンダが支援したことで1990年に内戦が勃発。この内戦は「アルーシャ協定」によって一度は合意に至るも、フツ族の大統領の暗殺によって、再び内戦が勃発。そして、フツ族がツチ族を虐殺するという悲劇が起きた

リカ人が生み出したのではなく、エチオピアから南下したより高度な「ハム系人種(ハム人)」によってもたらされたとする考えでした。

ハム人とはハムの子孫を指し、ハム人には「東方ハム人」と「西方ハム人」のふたつの分類がありました。東方ハム人がエチオピア人や古代および現代のエジプト人、東部サハラ砂漠のヌビア人などで、西方ハム人がサハラ砂漠のベルベル人などとされていました。ベルベル人とは北アフリカの先住民で、現在もモロッコ、アルジェリア、リビア、エジプトにかけて居住しています。

フランスの画家ジェームズ・ティソによる
セム、ハム、ヤペテの3人

しかし、「ハム仮説」は、ヨーロッパ人が奴隷制度や植民地主義を正当化するために編み出した名目、つまりは自分たちの人種的な優越性を証拠づけようとしてつくり上げた、都合のいいフィクション(作り話)でしかなかったのです。

『旧約聖書』の「創世記」には、ノアが酒に酔って横たわる場面が出てきます。すると息子のハムが父を辱め、目覚めたノアはハムの末子カナンに対して、「カナンは呪われよ。彼はしもべのしもべとなって、その兄弟たちに仕える」と宣告するのです。

また「創世記」には、ハムが父ノアの裸体を覗き見た罪についての記述があります。「裸体を覗き見る」という行為は、原語のヘブライ語から考察すると、ある種の性的不道徳な行為と関連しているようです。そして「創世記」は、ハムの4人の息子のうち、カナンはカナン人を、ミツライムはエジプト人を、クシュはクシュ人を、プトはリビア人を生み出したと記します。「創世記」のこのエピソードについて一部の神学者は、ノアのカナンへの宣告がハムの子孫のすべてに目に見える人種的特徴、特に黒い肌を引き起こしたと解釈しました。その後、ヨーロッパ商人やイスラムの商人や奴隷所有者が、アフリカ人を奴隷にすることを正当化するために「ノアによるカナンへの宣告」を援用しました。

聖書の解釈は難しいのですが、このエピソードから、ハムが品性に欠け不道徳な人間であることがうかがえます。また、ノアの3人の息子に「優劣」をつけるのなら、ハムは「劣」のカテゴリーに入りそうです。

いずれにしても、ノアはカナンに対し「しもべのしもべ」、すなわち「奴隷の奴隷」になると宣言したのです。ゆえに、アフリカ系人種（ハムの子孫）を奴隷とした白人（ヤペテの子孫）たちは、この記述から自分たちの行為を正当化したのでした。

もっとも聖書では、カナン人はフェニキアからパレスチナに定住したと記されています。また、ハムの別の息子のクシュの子孫は、「バベルの塔」を建てたニムロデのようにメソポタミアに散らばったとしています。ハム系がアフリカ人であるという聖書的根拠など、そもそもありませんでした。

なお、最近の高校生用の教材にはハム語族といった用語などなく、アフリカ大陸の北半分に分布する語族を「アジア・アフロ語族」としています。

征服者の優越性を正当化する都合のいい理屈

啓蒙主義の時代を経ると、ヨーロッパの知識人は人類の初期の歴史について、聖書の記述だけでは満足できなくなります。そこで信仰ではなく、科学による理論を展開し始めます。

とはいえ、それらの理論は純粋に科学的なものではありませんでした。「創世記」で描かれたノアとハムのエピソードを拝借した、征服者の優越性を正当化するための都合のいい理屈でしかなかったのです。

歴史を通じヨーロッパでは、すべての民族がノアの3人の息子から分かれ出たと信じられていたことはすでに述べましたが、19世紀に入ると、これらとは別の民族が、アフリカに存在していることは認識されていたようです。「黒人」、すなわち人種的な専門用語でいえば「ネグロイド」です。

ところが、ひとつ曖昧なことがありました。エジプト人など北アフリカの人々についてです。肌の色で判断すると、ヨーロッパ人（白人＝ヤペテの子孫）の眼にはエジプト人などは自分たちよりは浅黒く、違う人種に映ります。しかしエジプト人がネグロイドだとしたら、古代エジプト文明を築いた「優れた黒人」がいることとなり、ヨーロッパ人の優越性が崩壊してしまいます。そこで、研究はもっぱら「エジプト人は黒人ではない」というテーマに主眼が置かれるようになりました。

ここで、少し人種について整理します。「人種」とは、人類を骨格や皮膚、毛髪などの形質的特徴によって分けた区分です。一般的には皮膚の色によって、コーカソイド（白色人種）、モンゴロイド（黄色人種）、ネグロイド（黒色人種）に分類されます。

やがて19世紀半ばになると、ヨーロッパの学者たちは、アフリカであってもサハラ砂漠以南のネグロイド集団とは異なる「ハム系民族」が存在する、などと主張し始めます。この頃から「ハム系」という言葉が人々に知られるようになりました。

同時期、アメリカでは黒人奴隷制度が一大国家事業となりつつありました。そこで現れたのが、エジプト人が黒人とはかけ離れたコーカソイドであることを科学的に証明しようとする学

ハム仮説を提唱したイギリスの
探検家ジョン・ハニング・スピーク

サミュエル・ジョージ・モートンは人間の
頭蓋骨の開頭術による測定を通じて、
「頭蓋骨が大きいほど知能が高い」
という仮説を立てた

C・Gセリグマンの研究においてハム仮説は
頂点に達し、『アフリカの人種』では
「流入してきたハム人は牧畜民の
コーカサス人であり、黒い農耕民族の
ニグロ人よりも武装しており、
また頭の回転も速かった」と主張した

派でした。

北アフリカ人をクシュ系、エジプト系、ベルベル系などと分類し、ネグロイド系と区別し「アジア・アフロ語族」とする。この学説のベースとなる人物が19世紀後半にこの地を訪れたジョン・ハニング・スピークで、1864年に刊行した『ナイル川源流探検記』において、その説を開陳しました。

そして、サミュエル・ジョージ・モートンは、ナイル川流域から集めた無傷の頭蓋を分析し、古代エジプト人はヨーロッパ人と人種的に類似していると結論づけました。また、人類学者のジュゼッペ・セルギは、ハム系民族自体が地中海の種族であり、それが南ヨーロッパや北アフリカに広がったとしました。

そして、「ハム仮説」は人類学者C・G・セリグマンにより完成を見ます。

セリグマンは1930年の著書『アフリカの人種』で、アフリカの文明はハム人の文明であり、次々とアフリカに流入してきたハム人は牧畜民のコーカサス人（コーカソイド）であり、黒い農耕民族のニグロ人（ネグロイド）よりも武装しており、頭の回転も速かった、と結論づけたのです。

では、エジプト人など北アフリカの人々の「浅黒い肌」はどう解釈したのか？　それはすでに述べたように、ノアの宣告がもたらした、「ハムの子孫の黒い肌」という聖書の解釈へと帰着したのでした。

カトリック教会が「ハム仮説」を非難した理由

この「ハム仮説」を根拠に19世紀以降ルワンダを支配したヨーロッパ人たちは、ツチ族を白人に近いハム系、フツ族をバンツー系黒人（アフリカ大陸南半の地域で使われる言語バンツー諸語を話す人種）、前述のニギニャ王国をアフリカ各地から南下したツチ族がフツ族を征服してできた国家――そう理解しました。

ヨーロッパ人として初めてルワンダに入り、のちにドイツ領東アフリカ総督となったゴッツェンは、「（当地で）ハム系の人々が牛の群れとともにアビシニア（エチオピア）高原から南方に分散したと聞いた」と述べています。

エチオピアはルワンダから見ると北東にあるので、セリグマンの言う「次々とアフリカに流入してきたハム人」が、エチオピアを経てルワンダにたどり着いたと考えられます。また、ゴッツェンの「牛の群れとともに」はセリグマンの言う「牧畜民のコーカサス人」と合致します。

さらにゴッツェンは、ツチ族はフツ族より優れており支配者として適していると認識していたと伝えられています。これらの論理や証言をまとめると、「ツチ族＝白人に近いハム系」という結論に行き着きますが、この認識がベルギーの植民地支配政策に影響したのでしょう。

第一次世界大戦後のベルギーは植民地支配を行うに当たり、ツチ族をフツ族の上位に置きました。つまり上から「ヨーロッパ人の白人（ヤペテの子孫）・ツチ族（ハムの子孫に近い系列）・フツ族（土着な野蛮人）」という、人種・民族の階層をつくったのです。そして、ツチ系の国王を利用して多数派のフツ系を抑えるという、間接的な統治をしたのでした。

ところが、事はベルギーの思惑どおりには運びませんでした。植民地下での権力を享受したツチ系の国王や諸首長の権力はさらに増大するばかりでした。植民地下でありながら王国の支配はさらに強固なものとなり、カトリック教会へも圧力をかけるほどになります。

強大化するツチ族に対して、フツ族の指導者やツチ族の進歩的知識人たち、さらにはカトリック教会の宣教師たちが反発します。ツチ族中心の歴史認識と支配体制を非難し、「ハム仮説」こそがツチ族のルワンダ支配の元凶だと主張したのでした。

やがて1957年、神学校で教育を受けた9人のフツ族の指導者は「バフトゥ宣言」を出します。その内容は、ツチ族のフツ族に対する支配は不当だと主張するものでした。

それは、『旧約聖書』を背景にした「ハム仮説」に対する、キリスト教カトリック神学の反駁でもありました。これがのちのルワンダの混迷の土壌となるのですから、なんたる悲劇なのでしょう。

聖書の曲解が生んだ悲劇

すでに触れたように、１９６１年にフツ族系の政権が誕生しました。以降、フツ族系が政権を維持しますが、１９９０年、ＲＰＦによるルワンダ侵攻に端を発して内戦が勃発しました。

この内戦も、一度は和平合意に至りましたが、１９９４年4月にフツ族系政権のハビャリマナ大統領を乗せた飛行機が何者かに撃墜されると一転します。

フツ族系の政府軍は、大統領殺害をＲＰＦの犯行と考えました。さらには自民族をＲＰＦから防衛するためと称し、フツ族によるツチ族に対する大量虐殺が始まったのです。

フツ族の大統領ジュベナール・ハビャリマナ。1994年4月、彼を乗せた飛行機が何者かによって追撃されて死亡。この事件が虐殺の発端となった

１００日間で80万人という大虐殺——。

駐日ルワンダ共和国大使館のウエブサイトによると、国民の5分の1が殺されたというのですから、想像を絶するすさまじいものでした。

１９５０年代後半以降、フツ族側に肩入

れしていたカトリック教会はこの大虐殺を批判しませんでした。むしろ、多くのカトリックの聖職者が虐殺に協力したのでした。

ルワンダ虐殺に協力した一般住民の多くは、フツ族によるツチ族虐殺は神の意思に沿うものであるという考えを、カトリック教会により吹き込まれました。虐殺終結後のルワンダ国際戦犯法廷では、複数の宗教指導者らが告発され、有罪判決を受けています。

そのなかには、虐殺から逃れ自身の教会に救いを求めてきた人々を教会ごとブルドーザーで踏みつぶし、逃げようとする者を射殺するようフツ族民兵に命じたカトリック司祭もいました。

また、当時のローマ教皇ヨハネ・パウロ2世は大虐殺へのカトリック教会の関与を否定しましたが、それとは対照的にフランスのマクロン大統領は2021年5月に、フランス軍がルワンダ虐殺を傍観したことを謝罪しました。

当時、フランスはフツ族系政権のハビャリマナ大統領を支持しており、虐殺発生後は人道介入で軍を派遣しました。しかし、避難民の保護地域を設けながら、フツ族民兵の蛮行を積極的に止めることもなく、国際社会から批判されていたのです。

最後に「ハム仮説」についてですが、1960年代以降、研究者たちはこれに疑念を呈するようになります。そして1980年代に入ると、ドイツとベルギーによる植民地支配下で、差別のために構築された考えである、という結論に落着したようです。

なお、アフリカにおける人種差別を助長したのはカトリック教会だけではありません。南アフリカのオランダ改革派教会（カルヴァン派）は、『旧約聖書』の「創世記」や『新約聖書』の「使徒行伝」にある言語の多様化についての記述を曲解し、アパルトヘイトを「神からの使命」として正当化しました。

ニヤマタ虐殺記念館に展示されている
虐殺による被害者の頭蓋骨

トラマ教会（Ntrama Church）では、5000人もの
避難民が手榴弾、鉈、銃などで攻撃され、生きたまま
焼かれて虐殺された。現在も毛布やスカーフ、
子どもの靴、犠牲者の遺骨の一部が残っている

キリスト教を国教とした1994年以前の南アフリカで、こうした聖書への解釈が、アフリカーナー（南アフリカに入植したオランダ系白人）が主導する政権の維持に寄与したのです。

第7講

「神の国」アメリカの大義

✹「神の国」にして「虐殺国家」――アメリカ

ここまで、本書では世界史に未だに影を落とす「大虐殺」を取り上げてきました。

それらの虐殺は国家レベル、世界レベルのものとなったとしても、おおむね「個」を源泉とするものと言えます。ヒトラーやスターリンなどはその典型で、個人の資質が虐殺を招いたというものでしたし、ルワンダ大虐殺も、ヨーロッパの白人たちが聖書を間違って解釈、都合よく解釈した結果招いたものでした。

しかし「虐殺者の資質」を、個が内包するのではなく、国家が内包する国があります。アメリカ合衆国です。アメリカは時に「国家としての虐殺行為」を発動させます。

2003年、サダム・フセイン政権が大量破壊兵器を保持しているとして攻撃へ舵を切った「イラク戦争」は、その格好の例でしょう。

イラクが大量破壊兵器を保持しているから攻撃するという「大義」には、フランスやドイツ、ロシア、中国など多数の国々が異議を唱えますが、アメリカは国際世論を押し切る形で戦争へと踏み切ります。しかも、大量破壊兵器など発見されなかったのですから、これは完全に戦争犯罪でした。しかし、アメリカはどこ風吹くといった態度でした。

そもそも日本への原爆投下も、東京大空襲も、アメリカという国家の紛れもない「戦争犯罪」です。アメリカは国際的な法を無視し、みずからがあたかも法の上に立つように振る舞い、大虐殺を行ったのです。

ではなぜ、過去も現在も、アメリカは「虐殺国家」であるのか？ しかも、アメリカには自国を「神の国」とする思想があります。

そこで本講では、これまでとは視点を変え、「神の国」であるアメリカが、なぜ「虐殺国家」になったのか？ アメリカの歴史を紐解きながら、その精神構造を解き明かしていきたいと思います。もちろん、歴史上で個人が起こした虐殺も登場します。

まずはアメリカ建国について触れねばなりませんが、その前に新大陸発見の時代に時計を戻してみましょう。

「地理上の発見」という魔語

ヨーロッパ人が「地理上の発見」と呼んだ事業の背景には、学術の進歩がありました。イタリア人の天文学・地理学者トスカネリの地球球体説などが、その代表です。地球球体説はコロンブスの航海に示唆を与えました。

しかし、この「地理上の発見」という言葉こそが魔語だと言えます。これはウィリアム・H・マクニールの著書『世界史』に出てくる言葉ですが、「発見」という表現には人間の文明に高低、優劣をつける心理が潜んでいます。

参考までに15世紀初頭、明王朝の永楽帝《えいらくてい》の宦官だった鄭和《ていわ》（もしくは彼の分遣隊）が遠征をして、インドのカリカットとケニアのマリンディを訪問しています。そして同世紀の終わりに同地に到達したのがポルトガル人のヴァスコ・ダ・ガマです。つまり、「地理上の発見」においては、アジア人のほうが先んじているのです。

そもそも日本の歴史の書物が、学校の教科書から私が書いた参考書に至るまで、「ペルシア戦争」「ポエニ戦争」と呼んでいること自体が、ヨーロッパ中心史観です。

前者は紀元前5世紀に起きた、ギリシアとアケメネス朝ペルシアの戦争です。後者は紀元前3世紀に起きたローマとカルタゴ（フェニキア人植民都市）の戦争で、ローマ人がカルタゴ人を「ポエニ」と呼んだことに由来します。

アジアの国の日本なのだから、同じアジアのアケメネス朝のイラン人やフェニキア人の視点に立って「ギリシア戦争」「ローマ戦争」と呼ぼう！　と言っても誰にも相手にはされません。

では、なぜ日本の世界史はヨーロッパ中心史観なのか？　それは白人が有色人種の世界で旺盛に縄張り争いを演じた帝国主義時代の真っ只中に、ドイツの歴史学者ランケの弟子であるルートヴィヒ・リースが、東京帝国大学に史学会（歴史学の学術団体）を設置したからでした。

「ヨーロッパ中心史観」の根深さ

こうした歴史観は何もヨーロッパに限ったものではありません。前漢時代の司馬遷は「華」と「夷」、つまり中華という「文明的な人民」と周囲の「野蛮な人民」の二分法で『史記』を書きました。

また、前5世紀の古代ギリシアの歴史家ヘロドトスは「ギリシアのアテネ的自由」と「アケメネス朝ペルシアの専制」を対比させ、対立軸としました。前5世紀の古代ギリシアの歴史家トゥキディデスは、アテネの多数の人々による支配を「イソノミア（自由）」「デモクラティア（民主）」と呼び、スパルタの「少数支配（寡頭制）」と対比しました。

この対比思考が、世界史の永久凍土となっている歴史観であり思考法なのです。

中華思想は現在、中国共産党により体現され、アテネ的発想は帝国主義ヨーロッパのメンタリティーの根幹を成しています。アメリカの場合は、そこにさらに聖書の世界観に基づいた二分法が加わります。

このように、ヨーロッパ中心史観は根深く世界にはびこっていますが、その典型が「インディアン」です。現在では「北米先住民」や「ネイティブ・アメリカン」と呼びますが、この「インディアン」という表現そのものが、まことに噴飯ものです。

14世紀にペスト禍に見舞われたヨーロッパ人は、抗ペスト薬になる香辛料の産地モルッカ諸島（現インドネシア）を目指します。そして高価な香辛料を購入すると、次は客間に胡椒を並べ財力を誇示するための原資、黄金を手に入れるべくジパング（日本）を目指し船出します。

その途中に出くわした大陸を、彼らは「インド」と思い込みます。そしてそこにいる住民を、勝手にインド人（インディアン）と呼んだのでした。

勘違いによる呼称の「インディアン」が見直されるようになるのは、1960年代後半の公民権運動の時代で、「北米先住民」といった呼称が定着するのは、1990年代あたりです。こんな勘違いが野放しにされるのも、ヨーロッパ中心史観の根深さがあるからです。

ゲームの如く先住民を殺戮したコロンブス

この「インディアン」に深く関わってくるのが、クリストファー・コロンブスです。

本書ではコロンブスを、「ワーストイレブン」のディフェンダー（DF）に選出しましたが、その「蛮行」とはいかなるものだったのか――。

イタリアのジェノヴァ生まれのコロンブスはスペイン女王イサベラの援助を受け、1492年にスペインのパロス港を出航します。そして現バハマ諸島に到達、そこを「サンサルバドル」と命名し、その後、3回渡航し中南米海岸まで到達しました。

コロンブスはじつはユダヤ人で、1492年のレコンキスタ運動の完成に伴いスペインを追放されたという説もあります。

「レコンキスタ」とは、718年に始まったキリスト教徒がイベリア半島から、イスラム教徒とユダヤ教徒を駆逐する運動です。これは1492年のグラナダ陥落をもって完了しますが、コロンブスがキリスト教への改宗を拒否したユダヤ人だったというのです。

大航海時代を代表する
クリストファー・コロンブス

その真偽はさておき、サンサルバドル（現バハマ諸島）に到達したコロンブス率いるスペイン軍は、先住民（コロンブスらの言うインディアン）に対して徹底的な虐殺を行います。行く先々の島々でも、コロンブスの軍隊は無差別殺戮を繰り返しました。まるでスポーツかゲームのように、北米先住民も動物も殺戮したのです。

コロンブスと同行し、虐殺を目の当たりにしていたキリスト教宣教師ラス・カサスの日記に、その様子が次の

1492年10月12日のコロンブス一行のサンサルバドル島の上陸

ように残されています。

「コロンブスの軍隊のスペイン人は、先住民を見つけるといつも柵囲いのなかの羊のように扱い、情け容赦なく彼らを虐殺した」

コロンブスの軍隊に遭遇した先住民はすべて死滅します。コロンブスは自分たちを歓迎した先住民さえ殺す、あるいは拉致してスペインに連れ帰るなど、蛮行の限りを尽くしたのでした。

そしてコロンブスの蛮行は、「コンキスタドール（征服者）」と呼ばれるスペイン人に継承されます。

その代表的な人物エルナン・コルテスは、1521年にアステカ帝国の首都テノチティトランを征服し、フランシスコ・ピサロは1533年にペルーを征服しインカ帝国を滅ぼします。

また、1545年にポトシ銀山（現在はボリビアに含まれる）が発見されると、北米大陸の先住民や、のちのアフリカ人奴隷が酷使されました。

彼らコンキスタドールは征服先で黄金を略奪し、先住民の大量虐殺を敢行。そして多くの先住民女性を強姦します。

さらには征服が一段落したのちは、征服者としての政治的・経済的な力で、これまた多くの先住民女性を妾として所有しました。

コルテス自身も先住民のマリンチェを妾として寵愛し、彼女との間に生まれた子どもにマルティンと名づけています。現在も彼の末裔がメキシコにいるとされています。

前述のスペインの聖職者ラス・カサスは、先住民への布教と奴隷化防止に尽力しました。その著作が『インディアスの破壊についての簡潔な報告』ですが、この頃から、西アフリカからの黒人奴隷の流入が加速するのでした。

植民地争奪戦の場となった北米大陸

1492年のコロンブスによるバハマ諸島到着以降、北米大陸は植民地の時代に突入します。ヨーロッパの白人が先住民の社会を破壊し収奪を重ね、植民地獲得合戦が始まったのでした。

その主な参加国はイギリス、フランス、スペインで、1497年、イングランド王ヘンリ7世の命令で、イタリア人のジョン・カボット父子がニューファンドランドを探検します。

16世紀後半には、国王エリザベス1世の側近ローリがヴァージニアに進出するもまもなく放棄。次の国王で国教徒のジェームズ1世の時代の1607年に、ジェームスタウンが建設されます。こうしてタバコ生産のためのイギリス領植民地、ヴァージニア植民地が誕生しました。現在のワシントン・D・Cに隣接する地域です。

スペインは南米大陸のアステカ王国とインカ帝国を亡ぼし、同時にその触手を北米大陸に伸ばします。1513年のポンセ・デ・レオンによるフロリダ半島の探検を皮切りに、現在のメキシコ、アメリカ合衆国の南西部、中部、フロリダなどを獲得していきます。

フランスの北米大陸進出の先駆となったのは、ジャック・カルティエでした。カルティエはフランソワ1世の命を受け、1534年から3度にわたり現在のカナダの北西部を探検しますが、それ以降、フランスの北米大陸進出が本格的になりました。

そして17世紀になると、東西は現在のカナダ東部沿岸部から大陸の中西部ロッキー山脈の麓まで、南北はメキシコ湾から五大湖周辺までという、フランス領ルイジアナと呼ばれる領域を含む広大な植民地を獲得します。

またオランダも北米大陸に進出しており、1620年代にハドソン川流域にニューネーデルラント植民地を拓き始め、1926年にニューアムステルダム市（現在のニューヨーク）を建設しました。

当時、オランダのアムステルダムは「オランダのエルサレム」と呼ばれていました。アムステルダムは、カトリック教のスペインやスペイン領だったベルギーのアントウェルペンから移住したユダヤ人により、繁栄がもたらされていたからです。

そして、北米大陸での植民地獲得においても、ユダヤ・マネーが威力を発揮します。1626年、オランダはオランダ西インド会社を通じて先住民からマンハッタンを買い取りますが、その際にはユダヤ系のオランダ人の財力が寄与したのです。

ピューリタンによるアメリカ建設の第一歩

ジェームズ1世の治世の1620年、イングランドのスクルービという小さな村に住んでいたプロテスタントのカルヴァン派のキリスト教徒、つまりピューリタン（清教徒）たちが、信仰の自由を求めて新天地を目指しました。

英国国教会によって信者の集会を禁じられていた彼らは、まずはオランダへ脱出しました。そしてオランダのライデンという町で手工業に従事しますが、そこへの定着はうまくいかず、さらなる新天地求めることとなりました。目指すは北米大陸です。北米大陸に渡るためにイングランド南部の港に2隻の船を準備しますが、そのうちの1隻であるスピードウェル号が故障したので、メイフラワー号1隻で船出することになります。

こうして北米大陸へと旅立った彼らですが、すでにイギリスの植民地になっていたヴァージニアへの入植を避けました。それは、ヴァージニアに入植していたのが英国国教徒だったからでした。

彼らは船上で「メイフラワー契約」と呼ばれる誓約書に署名します。そこには自由な個人が契約によって団体を創設する理念が表明されていました。その意味するところは、植民地政府の樹立と、多数決の原理に従って政府を運営することでした。

ピューリタンを乗せて大西洋を横断し、1620年にケープゴッドに着いたメイフラワー号

そして1620年12月、メイフラワー号は現在のアメリカのマサチューセッツ州の沿岸に到着し、彼らはその地を出発地と同じ「プリマス」と命名しました。

メイフラワー号に乗船したピューリタンは、「ピルグリム・ファーザーズ」と呼ばれるようになります。彼らはこのようにして信仰実践の場を確保し、アメリカ合衆国建設の第一歩が踏み出されたのでした。

アメリカ精神史の原点は「聖書という人類史の原点への回帰」

ピルグリム・ファーザーズが手にした新たな信仰実践の場は、ある意味、アダムが禁断の実を食べ追放された「失楽園」を再興する「復楽園」をイメージするものでもありました。

ピューリタン革命にも参加した、イギリスの詩人ジョン・ミルトンの叙事詩に『失楽園』と『復楽園』があります。

前者はサタンに誘惑されて、原罪を犯したアダム（最初の人）とアダムから生まれたイヴが、楽園を追われキリストの贖罪に希望をつなぐ姿を描きます。後者はその続編と呼べるもので、イエスがサタンのあらゆる誘惑に打ち勝ち、アダムとイヴによって失われた楽園の回復をもたらすという内容です。

ピルグリム・ファーザーズは、アメリカの系譜となる1776年の独立宣言より150年も前に、みずからをいわば「再生アダム」と考えたのです。神の意志の実現を担う「神の代理人」としての自覚が超大で、みずからを「失われた楽園を回復する者」と任じた人々だったのです。

しかも、彼らは「選ばれた民」となった古代のヘブライ人（ユダヤ人）と同じ心情を持ちます。

メイフラワー号の船内の様子が描かれた「ピルグリム・ファーザーズの乗船」（ロバート・ウォルター・ウィアー画）

『旧約聖書』では、ユダヤ人はモーセに指導され「出エジプト」（エジプト新王国の支配からの脱出）をし、神と契約を結び「選ばれた民」となります。

かたやピルグリム・ファーザーズは、「出イギリス（もしくは出ヨーロッパ）」をし、英国国教会からの支配を逃れ新天地を求めました。

さらに英国国教会から、ピュアで聖書的かつ自由な崇拝をしたいという願いを禁じられたピルグリム・ファーザーズは、『旧約聖書』が記す「バビロン捕囚」にみずからの被害者感情をオーバーラップさせました。「バビロン捕囚」は、前6世紀に新バビロニア王国に滅ぼされた南ユダ王国のユダヤ人が捕らえられ、異教の地バビロンに強制的に移住させられるエピソードです。この被害者感情は、古代ユダヤ人の悲哀を記した預言者エレミヤをもじり「ジェレマイアッド」と呼ばれました。

このように歴史的、空間的、精神的に過去と距離を置き決別し、聖書という「人類史の原点」に一気に回帰する――こういった抜本的な急進主義が、アメリカ精神史の原点にはあったのです。

✹文化的、暴力的衝突を伴ったカトリックの布教

ピルグリム・ファーザーズによるプリマス植民地の建設に続き、1629年にはピューリタンの牧師ジョン・ウィンスロップによって、マサチューセッツ湾植民地がボストンの町とともに建設されました。

その際に彼は「ここは丘の上のシオン（エルサレム）であり、我々はすべての人が仰ぎ見る模範となるのだ」と宣言します。2021年1月、ジョー・バイデン新大統領は就任演説で、ウィンスロップの演説にも言及していました。

彼らの手によって建設された、プリマスやマサチューセッツなどの植民地はやがてまとまっていき、ニューイングランド植民地が形成されました。そしてニューイングランド植民地は、アメリカ独立運動の中心となっていきます。

ところで、ここまではアメリカのピューリタンについてお話してきました。ピューリタンは

プロテスタントの一派ですが、北米大陸のキリスト教の歴史はカトリックを始まりとします。

１４９２年、バハマ諸島に到着したコロンブスの航海は、スペイン王の事業として実施されたものでした。スペインはカトリック教国ですから、そこはカトリック布教の拠点となります。その布教において中心を担ったのが、フランシスコ会やイエズス会といった修道会の宣教師たちでした。彼らは布教活動に加え、教育、医療といった分野でも活動し、先住民のキリスト教化に励みました。

もっとも、先住民たちはすでに独自の宗教を持っていました。ゆえにカトリックの布教は、文化的な衝突、あるいは暴力的な衝突を伴うものでしたが、それでもカトリックは入植者に加え先住民にも信者を増やしていきました。

今でこそアメリカはピューリタンが力を持ちますが、カトリックの布教が開始されたのは、ピューリタンが北米大陸に到達する１世紀前のことだったのです。

アメリカ社会における支配者層を自任するＷＡＳＰ

17世紀になると、ピルグリム・ファーザーズに続くピューリタンの入植者によってプロテスタントも信者を増やしていきます。

19世紀初頭になると、アイルランド系移民が急増します。アイルランドは事実上イギリスの植民地ですから、イギリスから大陸に渡った人々は、アイルランド移民に蔑みのまなざしを向けました。また、アイルランド移民の大多数はカトリック教徒でした。

しかも、19世紀中頃になるとアイルランドでジャガイモ飢饉が毎年のように発生するようになります。そのため、北米大陸に移住するアイルランド人が急増し、彼らはカトリックの信者数を押し上げることとなります。また、移民はドイツ、フランス、イタリアからも流入し、その多くがカトリックでした。

1850年代に入ると「ノウ・ナッシング」という秘密結社が現れます。彼らの目的は、増加するアイルランド系カトリックの排斥にありました。

ノウ・ナッシングは北部で急激に台頭し、のちには州知事選出を果たすほどの勢いを持ちます。しかし、南北対立の激化とともに分裂し、多くの党員は共和党に吸収されました。

なお、後からヨーロッパからやってきた移民は、白人社会の一番下層に位置づけられました。そして新たな移民が押し寄せるにしたがって、先に来ていた集団は地位が押し上げられ、社会に階層が形成されていきます。

その階層の最上位に位置づけられたのが「WASP（ワスプ）」でした。これは「White, Angro-Saxon,Protestant」の頭文字をとった造語です。

こうした社会階層の形成のプロセスで、初期入植者である「アングロサクソン（イギリス）系白人でプロテスタントの子孫」であるWASPが、アメリカ社会の支配者層である、あるいはそうあるべきだという意識が根づいていくのでした。

なお、WASPという用語の扱いは曖昧で、現在では成功したプロテスタントであれば、スコットランド系やオランダ系、ドイツ系などでも「WASP」とされることがあるようです。

4度の「大覚醒」を経て「ネオコン」化したアメリカ

アメリカのキリスト教の歴史を語るうえで、外してはならないキーワードがあります。それが「大覚醒（Great Awakening）」です。大覚醒はキリスト教再興運動であり、4度起きています。

1620年、信仰実践の場の確保という高邁な理想を胸に「選ばれた民」がメイフラワー号で北米大陸に到達します。ところが2世、3世の代になると信仰心が冷め始めてしまいます。その状況を打開すべく、1730～1740年代にかけて当時の代表的な宗教指導者ジョナサン・エドワーズのような牧師たちが、平易な説教を行って対処したのが第一次大覚醒でした。

1800～1830年代に起きた第二次大覚醒は、キャンプ・ミーティング（野外天幕集会）を特色とします。

アメリカ史の西部開拓時代は1860年頃から始まりますが、その半世紀前には、入植者の生活域は西へと西へと広がりを見せていました。しかし、辺境の地では日常的に聖職者と触れ合うことができません。そういった人々の宗教への欲求に応えるべく、長老派、バプテスト派、メソジスト派などの聖職者が、キャンプ・ミーティングの担い手となりました。

第三次大覚醒は、1850年代~1900年頃に起きています。

1865年に南北戦争は終結しますが、人々の心に大きな傷跡を残しました。南北戦争後の経済は大企業が主導しますが、同時に貧富の差も大きくなりました。しかも、社会には金権政治がはびこっています。そうしたなかで、個人の価値を再確立する術としてキリスト教が見直され、3度目の再興運動となったのです。

1839年ごろのキャンプ・ミーティングの様子を描いた水彩画

信仰によって、罪悪や病気などは癒やされると主張する「クリスチャンサイエンス」や、聖書研究者のチャールズ・テイズ・ラッセルが創始した「エホバの証人」など、キリスト教の新たな団体が誕生したのがこの時期でした。

第四次大覚醒は1960~1970年代の時期に起きたと解釈されており、聖書の権威を重視する保守主義、原理主義が力を持

エホバの証人の創始者
チャールズ・テイズ・ラッセル

つようになります。また、その流れから、80年代のロナルド・レーガン保守政権が誕生しました。

テレビ伝道師パット・ロバートソンが知名度を上げたのは第四次大覚醒の時期と重なり、彼が設立した保守派キリスト教徒の政治団体「クリスチャン連合」は、レーガン政権の岩盤支持団体となりました。

また「モラル・マジョリティ（道徳的多数派）」が設立されたのは1979年です。モラル・マジョリティは原理主義的な組織であり、キリスト教新教の一派であるバプテスト派の牧師が中心となり活動をしました。

中心人物はバプテスト派のジェリー・ファルウェル牧師で、テレビやラジオを通じ反共主義、反・反核運動などを訴え、やはりレーガン保守政権の誕生に貢献しています。

最初の3度の大覚醒は「選ばれた民」としての自覚から生まれた、宗教的な道徳の再武装運動でした。対照的に、4度目の大覚醒はネオコン（新保守主義者）の国益第一主義の顕在化によって起きたものでした。

振り子のごとく、このような両極端に振れるのが、アメリカの特徴と言えるのでしょう。

現代アメリカの宗教事情

ではここで、現代のアメリカ合衆国国民の宗教事情をデータから見てみましょう。

2020年の統計となりますが、アメリカ国民の約7割がキリスト教徒です。それを人種や宗派で分けると、次ページのグラフのようになります（数値は人口比）。

このように、アメリカ人の約45パーセントがプロテスタント、約22パーセントがカトリックとなります。

また、ひと口に「プロテスタント」といっても、福音派と主流派では異なります。福音派は聖書を一字一句そのまま信じる、「福音主義」に基づく信仰生活を送っている人々です。福音派は間違いなく、ピルグリム・ファーザーズに近い宗教観を持っています。

一方、主流派は聖書を必ずしも絶対視せず、比較的リベラルな立場でキリスト教を信仰します。

次に政党とキリスト教の関係を見てみましょう。

アメリカは共和党と民主党の二大政党の国ですが、共和党員の約80パーセント、民主党員の約70パーセントがクリスチャンを自認しています。

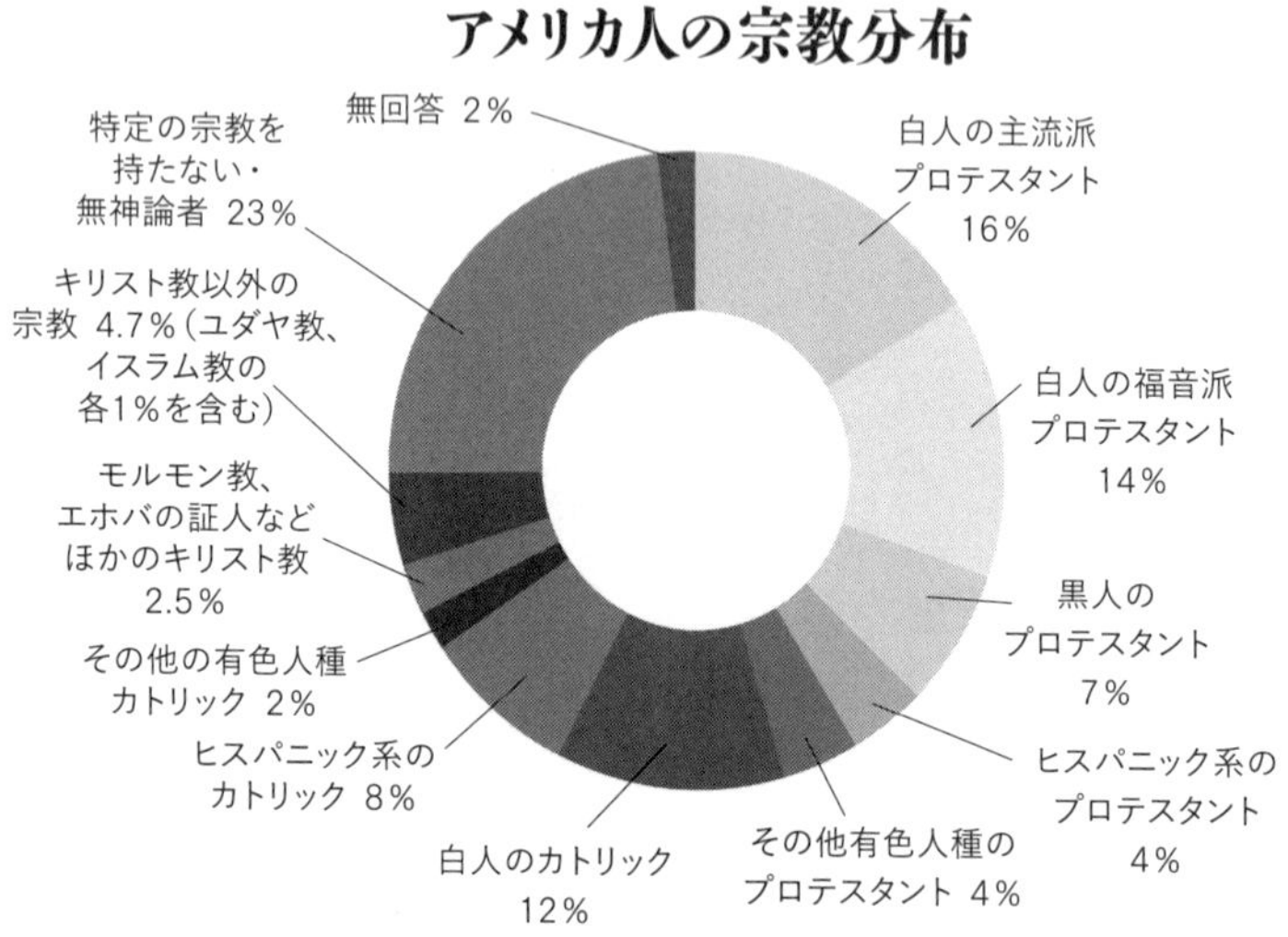

＊アメリカ合衆国の公共宗教研究所PRRI（Public Religion Research Institute）のデータを参考に作成

さらに細かく見ていくと、次ページのグラフのようになります（各党の党員数全体に対する比率）。

近年の共和党は、白人キリスト教徒とりわけプロテスタント福音派の政党と化し、民主党はアメリカの多様性（多民族・多人種）の象徴となっています。

福音派が日本で注目されるようになったのは、2016年のアメリカ合衆国大統領選挙においてでした。

民主党のヒラリー・クリントンと共和党のドナルド・トランプの対決となったこの選挙を、日本の大多数のマスコミは「ヒラリー勝利、初の女性大統領の誕生！」と予想していました。

ところが蓋を開けてみると、大方の予想を

裏切り勝利したのはトランプでした。トランプ勝利の翌日から、日本のマスコミは「隠れトランプ支持者」という言葉を垂れ流し続けます。

そして「ラストベルト」（東部から中西部にかけての〝錆びついた〟工業地帯）といったトランプの

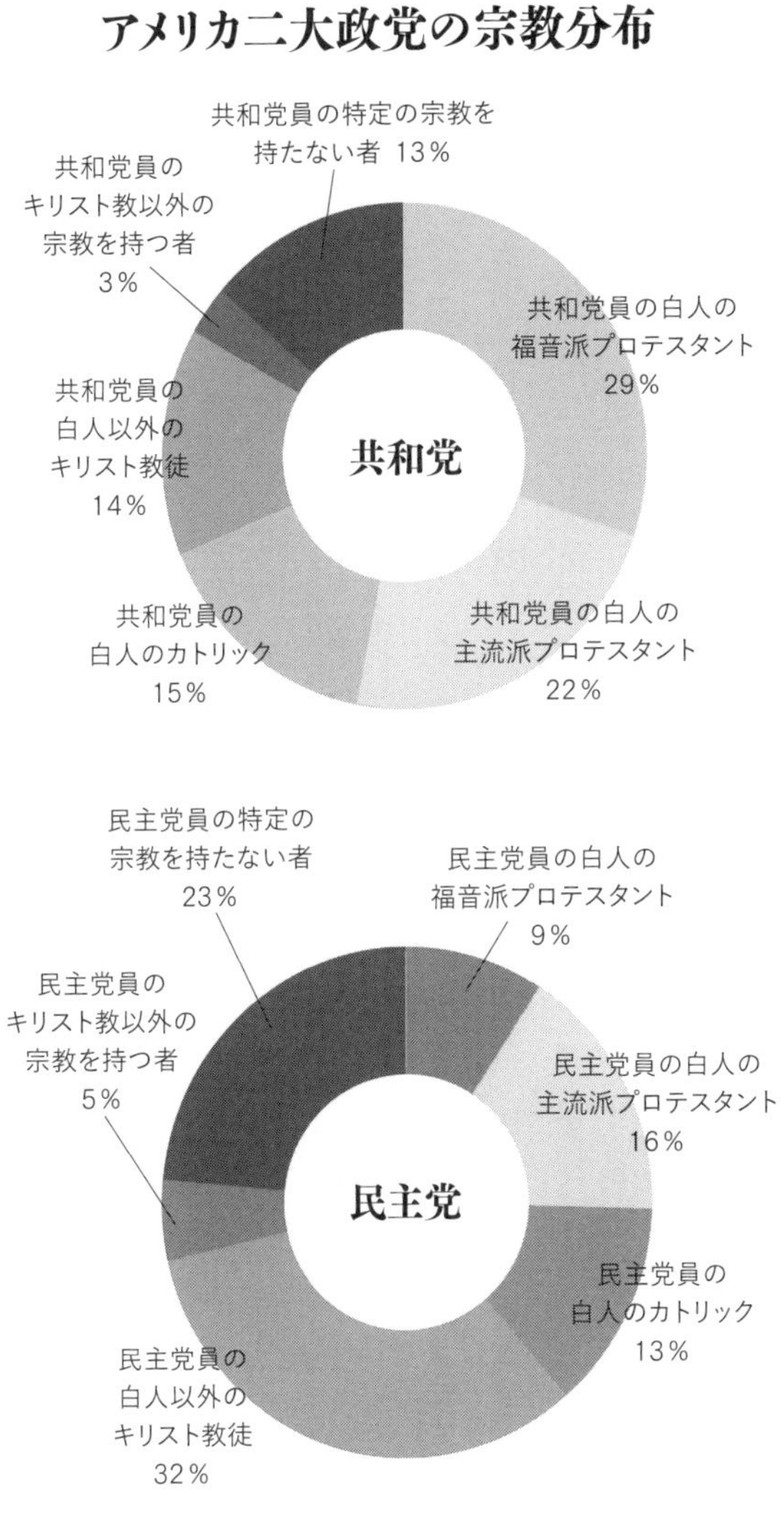

＊アメリカ合衆国の公共宗教研究所
PRRI（Public Religion Research Institute）のデータを参考に作成

支持層とともに、保守的な思想と宗教観を持つ福音派にも焦点が当たるようになりました。聖書という「人類史の原点」に一気に回帰する、そういった宗教観を持つ人々が、トランプを勝利に導いたのです。

ただPRRIの調べによると、アメリカ国民における福音派白人キリスト教徒の割合が、2006年の約23パーセントから2020年では約14パーセントへと低下していることは注目に値します。白人層の宗教離れが進んでいることがうかがえるからです。

ちなみに、世論調査の米大手ギャラップ社が2020年に成人アメリカ人に対して行った調査「神を信じるか?」の問いに対して、「yes」と答えたのは81パーセントでした。2011年が92、2017年が87パーセントですから、現象傾向にあるのです。

ただ、パンデミック（コロナ禍）を、『新約聖書』巻末の「ヨハネ黙示録」6章に登場する「疫病」を象徴する青ざめた馬の疾駆だと解釈し、思いを新たにして信仰心を覚醒させるケースも生じています。

✸本国の英仏戦争と連動し植民地戦争が勃発

15世紀末以降、北米大陸はヨーロッパ各国の植民地争奪戦の場になっていましたが、17世紀末、イギリスとフランスの本国間で戦争が勃発します。するとヨーロッパ本土と連動するように、植民地でも戦争が繰り広げられることとなりました。

イギリスとフランスはともに重商主義の時代に入っており、商品作物の生産地として、さらには自国製品の輸出先として植民地を必要としていました。以前から植民地をめぐる攻防が続いており、両国の関係は悪化する一方でした。

最初の英仏戦争とそれに連動する植民地戦争が起きたのは、1689年のことでした。それを含め、同様の戦争は4度起きますが、4度目の本土における「七年戦争」（1756〜1763）に連動した、植民地の「フレンチ＝インディアン戦争」（1754〜1763）で、とりあえずの決着を見ます。

この結果、北米大陸では、イギリスはカナダとミシシッピ以東などをフランスから獲得し、フランスは事実上、北米大陸から追放されることになります。

なお、「フレンチ＝インディアン戦争」の呼称はイギリス側から見たもので、戦争に巻き込まれた先住民の多くがフランス側についたところからきています。

イギリスの勝利に終わった英仏植民地抗争ですが、結果の如何にかかわらず、長きにわたる抗争は両国に大きくて思わぬ影響を与えました。

対英戦争における増大な支出は、ブルボン朝の財政を苦しめることになります。それは17

89年のフランス革命の勃発へとつながりました。

一方、イギリスも植民地戦争による財政赤字を解消するために、植民地に対して課税の強化などの策を採りますが、結果として植民地人の怒りに火を着けました。そして、その怒りが独立運動を活発化させたのでした。

「我に自由を与えよ！」ヘンリが武装蜂起を叫ぶ

イギリス本国の植民地統治政策は、いわゆる重商主義政策でした。重商主義は貿易などで外貨を蓄積し、貴金属や貨幣などの国富を増やすことを目的とします。要は〝貯金主義〟です。植民地戦争による財政赤字に苦しむイギリスは、漸次政治的圧力を強化し植民地への課税を強化します。

とりわけ1763年に、イギリス王ジョージ3世が、新たに獲得した領地での先住民の反発を避け先住民との関係を安定させるために、アパラチア山脈以西への白人の移住を禁止する勅令を出すと、植民地側は反動化します。

アパラチア山脈以西は、フレンチ＝インディアン戦争でイギリスがフランスから獲得した地です。植民人は当然、これを新たな開拓地と考えていました。ところが、勅令によって管理、規制され、それができなくなったのです。

やがて本国に反発したヴァージニア植民地は、決議によって英国製品不買協定を結びます。もはや新大陸におけるフランスの勢力が著しく減退したのですから、本国の保護が不要になり自治の精神が頭をもたげてきたのでした。

ところが、植民地での証書類や新聞などの発行に印紙を貼ることを義務とした「印紙法」の新設など、本国は統制と課税を強める一方でした。

これら課税強化に対し、独立派の弁護士ジェームズ・オーティスは「代表なくして課税なし」と主張します。

みずからを代表する者の同意なしに課税されないことは、イギリス臣民の権利です。つまり独立派は、植民地代表のいない本国議会による植民地課税を無効と主張したのでした。

そして1774年、フィラデルフィアで「大陸会議」の第1回が開催されます。集まったのはジョージアを除く12植民地の代表で、イギリス本国に対抗する方針が決められ、植民地人の権利が宣言されました。

「我に自由を与えよ、しからずんば死を与えよ！」

これは、独立派指導者パトリック・ヘンリの演説「自由か死か」の一説です。ヘンリが武装蜂起を叫び、そして独立戦争が始まったのでした。

トマス・ペインが説いたアメリカ独立の必然性と共和制の妥当性

1775年4月、ボストンの郊外の町レキシントンでイギリス軍と植民地側民兵が衝突し、アメリカ独立戦争の幕が切って落とされました。

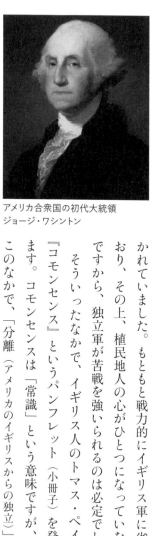

同年5月、第2回大陸会議が招集され、のちにアメリカ合衆国初代大統領に就任するジョージ・ワシントンが司令官に任命されます。

アメリカ合衆国の初代大統領
ジョージ・ワシントン

ワシントン率いる独立軍には植民地人が民兵として参加しますが、植民地人は独立を志向する愛国派、独立を志向しない忠誠派、さらに中立派に分かれていました。もともと戦力的にイギリス軍に劣っており、その上、植民地人の心がひとつになっていないのですから、独立軍が苦戦を強いられるのは必定でした。

そういったなかで、イギリス人のトマス・ペインが『コモンセンス』というパンフレット（小冊子）を発行します。コモンセンスは「常識」という意味ですが、彼はこのなかで、「分離（アメリカのイギリスからの独立）」の意義を説きました。すなわち、人権上の当然の権利であり、いわば独立が常識であるとしたのです。

ペインは『旧約聖書』を読み解き援用しました。

まず、世界史の初期には王はおらず、人類の混乱は王の登場とその高慢から始まったと指摘します。また古代イスラエルの歴史を取り上げ、ヘブライ王国（ユダヤ王朝）は初代のサウルが王位に就くまで、王のいない共和制だった。さらにはユダヤ人による王制の選択は、聖書のなかでは罪のひとつに数えられていると指摘します。

このように、聖書のエピソードを多用して世襲王政を容赦なく批判する一方で、アメリカの

COMMON SENSE;

ADDRESSED TO THE

INHABITANTS

OF

AMERICA,

On the following interesting

SUBJECTS.

I. Of the Origin and Design of Government in general, with concise Remarks on the English Constitution.

II. Of Monarchy and Hereditary Succession.

III. Thoughts on the present State of American Affairs.

IV. Of the present Ability of America, with some miscellaneous Reflections.

Man knows no Master save creating Heaven,
Or those whom choice and common good ordain.
THOMSON.

PHILADELPHIA;
Printed, and Sold, by R. BELL, in Third Street.
MDCCLXXVI.

アメリカの独立の正当性を主張したトマス・ペインと『コモンセンス』

イギリスからの独立には経済、外交、統治上の利点が多くあることも記しました。

「アメリカには独立を達成する能力が備わっている」

「アメリカにとって独立以外の選択肢はない」

独立の必然性と共和制の妥当性を説くペインの言葉は植民地人の心をとらえ、独立軍を奮い立たせました。『コモンセンス』は当時としては驚異的なベストセラーになり、その影響力は絶大で、独立の支持者が一気に増えたのです。

支配権を全世界に拡大することは、神の「目的」であり「意志」である

1776年6月12日のヴァージニア権利章典で、人間に本来備わっている自然権が宣言されます。自然権とは、「人間が生まれながらに持っている権利」です。基本的人権の原型とも言えます。

また7月4日のアメリカ独立宣言では、イギリスの圧政を告発し、平等や自由などの基本的人権と、圧政に対する革命権が確認されました。

そこに盛り込まれた抵抗権・革命権の思想は、イギリスの思想家ジョン・ロックの「社会契約説」の理念に依拠しています。

社会契約説とは「人民が互いに契約を結ぶことによって、社会や国家が成立する」という考えです。17～18世紀の市民革命期に、王権神授説に対してトマス・ホッブズ、ロック、ジャン＝ジャック・ルソーらが唱えた政治理念でした。

1776年7月4日、トマス・ジェファソンらが起草した独立宣言はフィラデルフィアのインディペンスホールで採択された。絵画には、ベンジャミン・フランクリン、トマス・ジェファソン、ジョン・アダムスが描かれている

もっとも、社会や国家の成立に対する考え方は共通していますが、人間の本性や自然状態、政治制度に対する考え方には違いがあります。

それが次ページの表です。

このように自然状態を「闘争」ととらえ、守られるべきものは「生命」ゆえ絶対君主に自然権（人間の本性）を100パーセント譲渡せよ、とホッブズは主張しました。

それとは異なり、ロックは自然状態を「自由・平等・平和」ととらえ、守られるべきものは「（貴族の）財産権」ゆえに、自然権は限定的に代表者に委託して国家を形成する。そして、その目的が毀損される場合には、人民に抵抗権（革命権）があるとい

	 ホッブズ	 ロック	 ルソー
人間の本性	利己的	理性的	自己愛と同情
自然状態	万人の闘争	自由・平等・平和	自由・平等・孤立
守るべき権利	生命	財産権	自由権一般
社会契約の内容	国家に権力を譲渡	国家に権力を委託	一般意志（人民の意志）
政治制度	絶対王政	間接民主制	直接民主制

う社会契約説を展開しました。

まとめるなら、ホッブズは絶対専制君主に、ロックは議会に、ルソーは世論に主権を託したと言えるでしょう。

そして、ロックの発想が色濃く反映されたのが、アメリカ合衆国の独立宣言でした。

もっとも、契約は自然に自生的に結ばれるものではありません。一定の時間帯に一群の人々により「設計」されるものです。

神と契約を結んだ「選ばれた民」が、神との契約に則って建国された人工的契約（設計）国家——それがアメリカなのです。

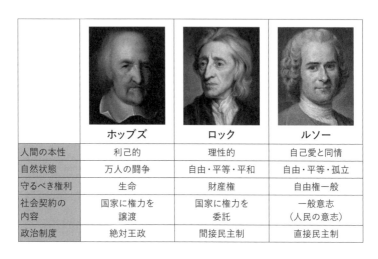

このように、設計主義的左翼人工国家としてアメリカ合衆国は建国されましたが、この国には「目的」がありました。

日本国には「目的」など有史以来ありません。戦後アメリカから推し戴いた日本国憲法には、せいぜい近隣国家に迷惑をかけないことくらいしか明記されていません。

しかし独立宣言をした人々は、神との契約で建国されたアメリカ国民が再生アダム、つまり無垢な人類を演じつつ、その支配権を全世界に拡大することを、神の「目的」であり「意志」と考えました。

このように、有史以来のいくつかの外圧を契機に自生的秩序を形成してきた日本と好対照で、一群の人々が「設計」によって秩序を形成する――それがアメリカなのです。

✸独立後、短期間に領土を拡大する

独立宣言後もアメリカ軍（独立軍）は苦戦を強いられましたが、1777年10月、ニューヨーク北方のサラトガでの大勝が戦局を逆転させます。

それまでフランスのアメリカへの支援は、武器や弾薬などの密かな提供にとどまっていました。しかし、この勝利を知ったルイ16世は1778年2月、正式にフランスの参戦を宣言します。英仏植民地抗争で敗北したフランスは植民地の回復と、イギリスへの報復を狙ったのでした。

アメリカ独立革命

13植民地の成立、英仏植民地戦争	1604年	フランス、カナダ植民地開始
	1607年	ヴァージニア植民地建設（＊最初の13植民地）
	1608年	フランス、ケベック市建設
	1619年	ヴァージニア植民地議会（＊アメリカ最初の議会）
	1620年	ピルグリム・ファーザーズの上陸
	1651年	航海法→1652年〜74年 イギリス・オランダ戦争
	1664年	オランダ領ニューアムステルダム、イギリスに奪われニューヨークと改名
	1689年	ウィリアム王戦争（〜97年） ＊英仏植民地戦争の開始
	1702年	アン女王戦争（〜13年）
	1732年	ジョージア植民地建設 ＊13植民地の完成
	1744年	ジョージ王戦争（〜48年）
	1754年	フレンチ・インディアン戦争（〜63年）
	1763年	パリ条約 ＊イギリス、フランスよりカナダ・東ルイジアナ獲得
植民地の不満	1764年	砂糖法
	1765年	印紙法 ＊印紙法反対運動「代表なくして課税なし」
	1773年	茶法 ボストン茶会事件
	1774年	第1回大陸会議（＊フィラデルフィアで開催）
独立戦争	1775年	レキシントンの戦い ＊独立戦争勃発（〜83年）
	1776年	トマス・ペイン『コモンセンス』を刊行 独立宣言（トマス・ジェファソンらが起草）
	1777年	サラトガの戦い ＊植民地側の勝利
	1778年	フランス、植民地側に参戦
	1779年	スペイン、植民地側に参戦
	1780年	オランダ、植民地側に参戦 ロシア皇帝エカチェリーナ2世が武装中立同盟を提唱
	1781年	ヨークタウンの戦い ＊植民地側が最終的に勝利
合衆国の成立	1783年	パリ条約 ＊イギリス、アメリカの独立を承認
	1787年	アメリカ合衆国憲法の制定
	1789年	第1回連邦会議 初代大統領ジョージ・ワシントン就任

その後、イギリスの覇権を快く思わないスペイン、オランダも参戦します。ロシアは武装中立同盟を掲げ、国際情勢はアメリカ独立に圧倒的に有利となりました。

1781年10月、ヴァージニアのヨークタウンで米・仏連合軍がイギリス軍を破ると（ヨークタウンの戦い）、アメリカの勝利は決定的になります。そして1783年9月、講和条約であるパリ条約で、アメリカは正式に独立を認められました。

当初は戦力、物資ともにイギリス軍のほうが圧倒的に上回っていましたが、アメリカ軍には独立を目指す強い意志がありました。また、フランスをはじめとする、反イギリスの立場に立つ各国の支援がありました。さらに、アメリカは戦場の地形や特徴を熟知しており、イギリス軍にはそれが欠けていました。これらの要素がアメリカ軍を勝利に導いたのです。

その後、1787年にはアメリカ合衆国憲法が制定されます。また、1789年には初代大統領ワシントンが選出・就任します。

パリ条約で、イギリスからのミシシッピ川以東のルイジアナの割譲を受けたアメリカは、その後、1803年にフランスからミシシッピより西のルイジアナを、1819年にはスペインからフロリダを買収します。両国がアメリカの買収を受け入れたのは、本国の財政悪化や植民地で起きる反乱の財政的な負担増などが理由でした。

その後、1845年には第11代大統領ジェームズ・ポークの時代に、一時的に独立状態にあったテキサスを併合し、1846年にはオレゴン協定でカナダをイギリスと国境調整します。1848年には「アメリカ＝メキシコ戦争」に勝利し、カリフォルニアとニューメキシコを獲得。この地からは金鉱が発見され、多くの人が移り住みました。いわゆる「ゴールドラッシュ」です。

このようにアメリカはわずかな期間に領土を拡大させますが、それは虐殺を伴うものでした。

先住民虐殺の急先鋒はのちの合衆国大統領

アメリカ合衆国第7代大統領を務めたアンドリュー・ジャクソンは、軍人、政治家、そして黒人奴隷農場主でした。ジャクソンが全国的な名声を得たのは、1812年に起きた「第二次独立戦争」とも呼ばれた「米英戦争」（1812〜1814）でした。

米英戦争はナポレオン戦争（フランスのナポレオン1世時代に行われた戦争）の最中、イギリスの海上封鎖に対して、アメリカが商業上の自由を掲げて行った戦争です。

1814年12月から翌年1月にかけて起きたニューオーリンズの戦いでは、ジャクソンの部隊5000人が、7500人以上のイギリス軍に勝利しました。この勝利でジャクソンの名は、国民の誰もが知るものとなりました。

アメリカの領土拡大

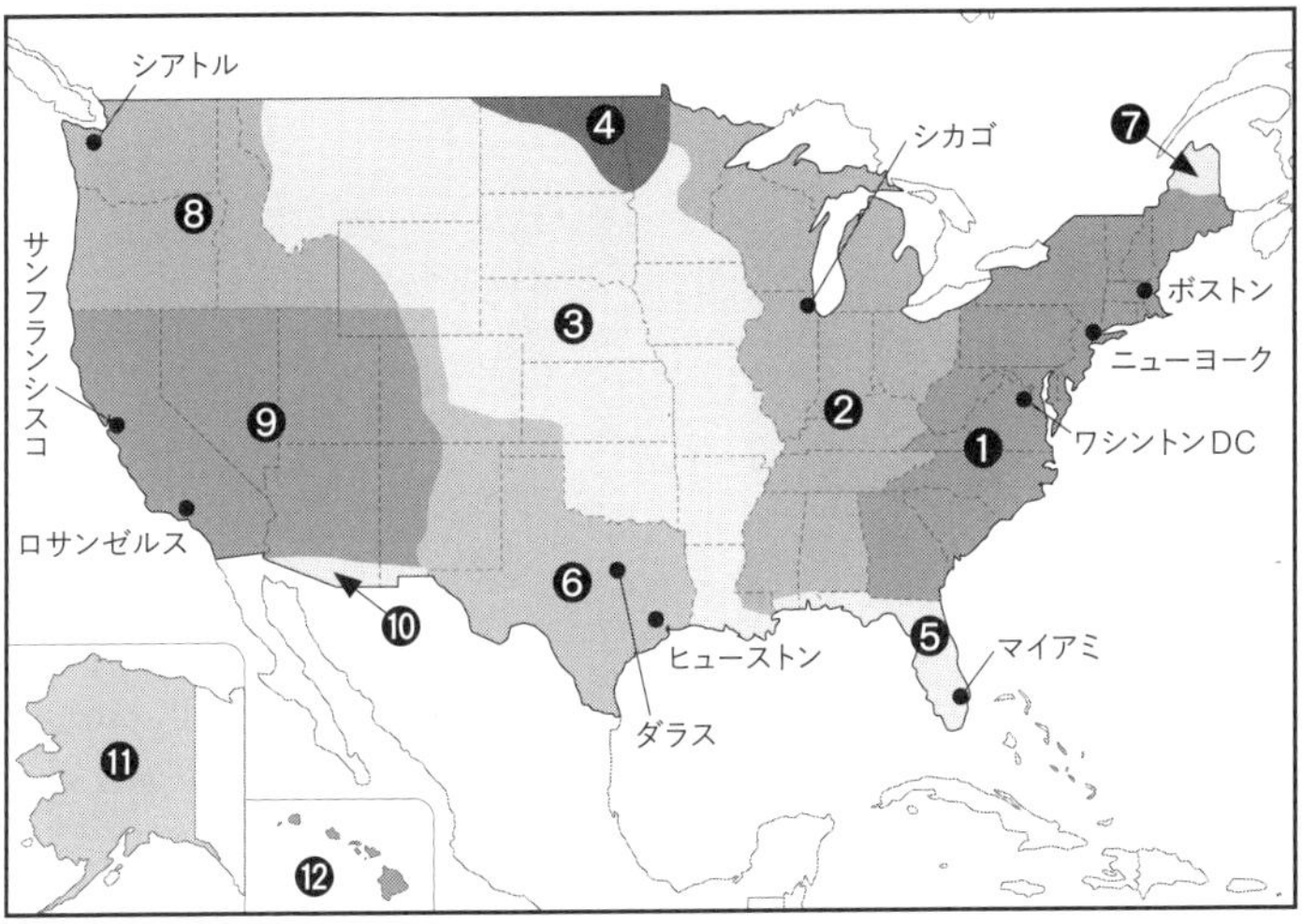

❶13植民地（建国当時）
❷1783年／イギリスより獲得
❸1803年／フランスより買収
❹1818年／イギリスとの国境協定
❺1819年／スペインより買収
❻1836年／テキサス独立→1845年／併合
❼1842年／イギリスとの国境協定
❽1846年／イギリスとの国境協定
❾1848年／メキシコより割譲
❿1853年／メキシコより買収
⓫1867年／ロシアより割譲
⓬1898年／併合

ところが1812年、この戦争の最中に、ジャクソンは先住民のクリーク族約800人を虐殺しています。男も女も、子どもであってもジャクソンは容赦せず皆殺しにし、しかも殺した先住民の死体から鼻や男性器・女性器を削ぎ取り戦利品とするという極めて残虐なものでした。

また、1817年に第5代大統領ジェームズ・モンローに先住民に対する掃討を命令されると、ジャクソンは虐殺を実行します。その対象はセミノール族とクリーク族でした。

この掃討の背景には、奴隷農場主から逃亡した黒人奴隷をセミノール族が受け入れていたことがありました。奴隷農場主たちは豊かなセミノール族の領地の土地を奪い、同時にそこに築かれた逃亡奴隷たちの隠れ家を掃滅することを望んだのです。ジャクソン軍は村と作物を焼き払います。そして、ここでも女性や子どもを優先的に殺害したのです。

アメリカ合衆国第7代大統領
アンドリュー・ジャクソン。
米英戦争で名をあげた

そういうジャクソンですから、大統領に就任してからの姿勢を変えることはありませんでした。強制移住政策を急がせ土地を奪い、徹底した迫害を重ねたのでした。

こうした直接的な迫害、殺戮以外にも、先住民の狩猟の対象であるバッファローを大量に殺戮し、食料を奪うことで先住民を兵糧攻めにするという恐るべき残忍さを示したのが、19世紀のアメリカでした。

キリストの再臨を信じるアメリカ人

1872年に描かれた「アメリカの進歩」はマニフェスト・デスティニーを象徴する絵画。書物と電信線を持った女神や鉄道はアメリカを象徴し、西部への領土拡大を正当化している

1840年代には、「マニフェスト・デスティニー」と呼ばれる西漸運動、領土拡大が始まります。「西漸運動」とは西部開拓を推進し西部へ移住をうながす運動で、いわゆるフロンティア・スピリット（開拓者精神）による西部開拓の始まりです。

マニフェスト・デスティニーは「明白な天命」「膨張の天命」などと訳すことができます。すなわち、「膨張、つまり領土の拡大は神の意志だ！」というわけで、この精神こそが「アメリカ例外主義（例外的美徳）」と評されるアメリカ人の矜持です。

アメリカ例外主義とは、アメリカは他国に比べて独特であり模範的である。さらには、アメリカは地球とその住民を変革するという独自の使命を持つとする考え方です。

こうした考えを精神的支柱にして西部開拓は行われたのですが、先住民にしてみれば、追い立てられ生活を壊され、命を落とすのは日常茶飯事という、とんでもなく迷惑な話です。それでも、アメリカ人は「明白な天命」だと、みずからを正当化しました。

すでに触れましたが、アメリカはテキサス、カリフォルニア、ニューメキシコを獲得し、領土を広げていきます。また1867年には、アラスカをロシアから購入しました。

このような領土、支配域の拡大はマニフェスト・デスティニーに導かれてのものですが、その信念は決して過去のものではありません。現在でも多くのアメリカ人の精神を形成する要素であり、アメリカが起こす不可解な戦争の背後には、この精神が源泉にあります。

なお、著名な言語学者でマサチューセッツ工科大学の名誉教授を務めるノーム・チョムスキーは、2018年の著書『誰が世界を支配しているのか?』で「全人口の40パーセントが、2050年までにキリストが再臨すると信じているのがアメリカ人」と言っています。

南北戦争は形を変えた米英戦争だった

アメリカの南部の農園主にとってイギリスは、独立戦争以前から綿花を買ってくれるお得意さんでした。また、18世紀中頃に起こったイギリスの産業革命は、木綿部門から始まっており、それゆえ独立戦争後も、イギリスは南部の各州の連合と緩やかな自由貿易を推進しました。

一方、北部の商工業者にとってイギリスからの輸入品は脅威の対象であり、イギリスは強力なライバルでした。ゆえに北部各州は団結し、強力な中央政府をつくって高関税で保護されることを望みました。

ほかにも、南部と北部には対立要因がありました。

政治体制については、南部は連邦政府の権限を制限し州の自治権拡大を望み、北部は連邦政府の権限を拡大し統一を強める方向を望みます。

貿易政策については、南部は主産物である綿花の輸出増のために自由貿易を主張し、北部はすでに触れたように、イギリス製工業製品との競争力を高めるために保護貿易を主張しました。

これらの対立要因に加え、黒人奴隷制をめぐる対立がありました。

南部は綿花プランテーションの維持のために奴隷制は必要だとしましたが、北部は黒人を労

「奴隷解放の父」として今なおアメリカで評価の高いエイブラハム・リンカン

働力と購買力と考え奴隷制拡大に反対していました。

この対立はどう話し合っても落としどころが見つかりません。結局、体制の選択は戦争で決することとなりました――「南北戦争」です。

イギリスは南部アメリカを支援したので、南北戦争は形を変えた米英戦争でした。また、ユーラシア大陸を舞台とした英露の「グレート・ゲーム」の新大陸版でもありました。グレート・ゲームとは、イギリスとロシアが中央アジアの覇権をめぐり繰り広げた政治的抗争で、ロシアは北部アメリカを支援したのです。

「リンチ（私刑）国家」というアメリカの実態

１８６０年11月、共和党のエイブラハム・リンカンが第16代大統領に当選すると、南部11州はジェファソン・デヴィスを大統領、リッチモンドを首都として「アメリカ連合国」を設立します。こうして南北戦争に突入します。

南北戦争では初めてライフル銃が使用され、南北両軍合わせて約62万人の死者が出ました。第二次世界大戦のアメリカの戦死者が約32万ですから、アメリカが体験した戦争のなかで最大の犠牲者となります。また、約62万の死者のうち戦病死者が、戦死者の2倍を数えたと言います。

南北戦争は、19世紀の地球における最大の戦争だったのです。

1861年から足掛け5年続いた南北戦争ですが、1865年、南軍の降伏で戦争が終結し、政治上は連邦統一が達成されました。そして争点のひとつ、奴隷問題は解放宣言が出されますが、それはあくまでも形式的なものであり、黒人の差別待遇は事実上残存しました。

1877年を境に、戦後復興を監視してきた北部勢力が南部

南部における黒人奴隷の競売風景を描いた絵画

1922年、ヴァージニア州における
KKKのメンバーによるパレードの様子

から撤退すると、南部は黒人に抑圧的な社会制度を復活させます。その一例が、19世紀末から1964年の公民権法（差別撤廃法）成立まで南部で続いた、黒人隔離政策「ジム・クロウ法」です。

「ジム・クロウ」とは人気を博したミュージカルの登場人物（黒人）の名前で、その後は黒人の蔑称として使われていました。ジム・クロウ法では、食堂、酒場や売春宿から、ホテル、学校や病院に至るまで、人種隔離が規定されました。

また、1865年に結成された結社KKK（クー・クラックス・クラン）は、白人優越主義と南部白人の団結を主張します。

そしてこの頃から、アメリカという国の実態が「リンチ（私刑）国家」であることが浮き彫りになってきます。

それは、作家ナサニエル・ホーソーンが小説『緋文字《ひもんじ》』で描き出した世界です。

「正義の裁き」を大義とするアメリカ

17世紀のボストンを舞台に、不倫関係となった聖職者と人妻、そして村人との関係性を描き人間心理の陰翳に鋭いメスを入れた『緋文字』は、ピューリタニズムの閉鎖性と残虐性を表現した作品です。

ピューリタン社会は、姦通《かんつう》という罪を犯した女性の上着に「A」（Adulteress＝姦通者の頭文字）という文字をつける罰を与えます。そして、罪の子（不義で生まれた子）を抱かせ処刑の晒し台に立たせ処罰します。しかも、彼女はいついかなる時も「A」の文字を外すことができません。裁判所が下した罰とはいえ、常に姦通者である印を身に着けているのですから、これはもはや「リンチ」です。そしてリンチは「大義」と隣接します。

では、アメリカ社会の大義とは何か？　それは「正義の裁き」であり、『緋文字』におけるリンチもまさに「正義の裁き」でした。

ナサニエル・ホーソーン『緋文字』の主人公ヘスターとその娘パールを描いた絵画（ヒューズ・メール画）。ヘスターの衣服には「A」の文字が見える

そもそも1世紀のキリスト教徒はイエスの教えを実践し、暴力的ではなく軍隊にも入りませんでした。しかし、ローマ帝国最盛期の2世紀後半には、キリスト教徒の兵士が出現します。

そして5世紀、カトリック「最大の教父」と呼ばれ、キリスト教の教義の基礎をつくった神学者のアウグスティヌスが、「正義の戦争のためならクリスチャンの軍事行動が許される」という見解を発して以来、政府の戦争は「正義の戦争」となります。

さらにピューリタンの場合でいえば、16世紀のカルヴァン派のモナルコマキ（暴君放伐論）が加味されています。モナルコマキは「近隣の暴君の暴虐に苦しむ国へ干渉戦争を是とする」とします。それゆえ、「ピュアなキリスト教」を奉じるアメリカが「正義の裁き」を暴力、あるいは暴虐という形で下すことになるのです。

そして、アメリカは「正義の裁き」を国際社会に持ち込むようになります。

明らかに国際法違反であり戦争犯罪である原爆投下も、アメリカにすれば「正義」であり、アメリカがみずからを国際法さえ超越した存在として振る舞う源泉は、「正義の裁き」という大義にあるのです。

そういった意味でも、アメリカと中華人民共和国は近親憎悪の関係にあると言えます。

アメリカの建国神話の実態は「真の宗教圏」というフィクションが、「偽りの宗教圏」を凌駕していくものです。ここで「フィクション」と表現したのは、あまりにも設計されたものだからです。

一方、中華人民共和国は「漢民族」というフィクションが、夷狄《いてき》（未開の民、野蛮人）の地に支配権を拡大するという「華夷秩序」に基づくものです。ここで漢民族を「フィクション」としたのは、中国にはすでに純粋な漢民族は存在せず、つくられたものであるからです。

フロンティアが消滅し、帝国主義へ突入

先住民の組織的抵抗は、約350名の死者を伴った1890年の「ウーンデッドニーの虐殺」をもって終了しました。以降、先住民たちは各地の居留地に収容されて生活を続けることになります。

「ウーンデッドニーの虐殺」後の様子。毛布がかけられた遺体と埋葬の様子

西へ西へと領土を広げたアメリカですが、1890年頃にはもはや先住民から奪う土地もなくなりフロンティアが消滅します。また経済不況も重なり、西部開拓への延長として海外市場拡大の重要性が増したことで、アメリカは帝国主義政策に舵を切るようになりました。

まず第25代合衆国大統領ウィ

フロンティアの消滅で、アメリカは帝国主義政策へ舵を切った。第25代大統領ウィリアム・マッキンリーはカリブ海政策を展開した

リアム・マッキンリーが、カリブ海政策を展開しました。

1898年、キューバの独立運動をスペインが残虐に鎮圧したのを見て、マッキンリーはアメリカのキューバにおける企業権益の擁護を主張しました。

その際、マッキンリーはアメリカのマスコミの煽情的な報道合戦を利用します。当時、新聞がアメリカ社会に普及し始めており、どの新聞社も読者獲得のためにセンセーショナルな報道合戦を展開していました。そしてどの新聞も大げさな見出しをつけて、マッキンリーの主張を報道したのです。

しかも、キューバのハバナ沖（スペイン領）に停泊していた米軍艦メイン号が爆破されますが、マッキンリーはこれをスペインの仕業だとしました。アメリカの自作自演とも言われた爆破事件でしたが、アメリカがスペインと戦争（米西戦争）をするには十分すぎる名目でした。1898年2月のことです。

同時にアメリカとスペインはフィリピンでも開戦します。戦争はアメリカが勝利し、短期間で決着がつきます。1898年12月に講和が成立し、パリ条約でキューバのスペインからの独立が承認され、アメリカはフィリピン、グアム島、プエルトリコを獲得しました。

この戦争も、アメリカにとって立派な大義がありました。それは、プロテスタントの国がカトリック国スペインを討つ――というものでした。

虐殺につながる舵取り役を果たしたローズベルト

外交政策で積極的な膨張策を採ったマッキンリーは、フィリピン、グアム島を獲得すると、次はハワイ島を視野に入れます。

米西戦争の5年前、1893年にアメリカ人入植者がクーデタによってハワイ王国を倒し、ハワイ共和国を成立させていました。その際、合衆国本土への併合を申し出たのですが、当時の大統領グロバー・クリーブランドはハワイ併合を認めませんでした。クリーブランドはアメリカ公使が本国に無断で行ったことと判断し、違法としたのです。

しかし、民主党のクリーブランドから共和党のマッキンリーに大統領が変わると、アメリカは併合に方針を変えます。

このように帝国主義を推し進めたマッキンリーでしたが、1901年、政府の方針に反対す

第26代大統領セオドア・ローズベルト。アメリカ帝国主義政策を推進し、国内では労働者保護政策などの革新主義を進めた

る無政府主義者によって暗殺されます。そして、マッキンリーを継いで副大統領から第26代大統領に昇格したのが、セオドア・ローズベルトでした。

ロシアの膨張政策への警戒もあり、ローズベルトの東アジア政策は日英同盟には好意的でした。そして、アメリカのユダヤ資本の経済的支援により日露戦争で日本を勝たせると、1905年、ローズベルトは日露戦争の講和条約となるポーツマス条約では調停役を務めます。

日露戦争には、英露の「グレート・ゲーム」の代理戦争という側面がありました。すでに触れましたが、「グレート・ゲーム」は英露による中央アジアの覇権抗争です。

そして日本がロシアに勝利したのですから、同時にそれは同盟を組むイギリスの勝利を意味しました。となると、アメリカの警戒の対象は、旧覇権国イギリスであり、中国市場を争うことになりそうな日本ということになります。

そこで、日本がロシアから獲得した南満州鉄道の共同管理を鉄道王ハリマンが提案しますが、一度承諾しながらも、日本の外務大臣小村寿太郎が拒否します。これにより日米関係は徐々に悪化し始めますが、ここが日本の分岐点でした。以降、日米関係は緩やかに冷却化しました。

1905年に入るとサンフランシスコに日系韓国系排斥協会が設立され、1906年にはサンフランシスコ学務局が公立学校の日本人子弟を、強制的に中国人学校に移籍させます。また連邦政府は日本人の帰化申請を拒否する訓令を発布しました。

一方、軍事面での関係の変化も表面化しました。この頃から、日米が互いを仮想敵国とした、建艦競争が始まったのです。

第一次世界大戦のアメリカ参戦を誘導した「ユダヤロビー」

1914年、第一次世界大戦が勃発しましたが、アメリカは中立を宣言しました。

ところが、1915年にドイツ軍の潜水艦がイギリス客船ルシタニア号を撃沈し、100名を超えるアメリカ人が死傷するという事件が起きます。そのうえ、1917年にドイツが中立国の商船をも含めてすべての艦船を無差別に撃沈する「無制限潜水艦作戦」を宣言します。

そして、アメリカの参戦を決定的にしたのが、「ツィンメルマン電報事件」でした。

ドイツの外務大臣ツィンメルマンがメキシコ政府に電報を送ったのですが、その内容がなんとアメリカに対する同盟の提案、つまり、メキシコ軍をアメリカに攻め入れようとさせるものでした。この事実が判明するに至り、1917年4月、アメリカはいよいよドイツに宣戦布告して大戦に参戦しました。

なおアメリカが参戦した背景には、他にも重要な理由がありました。まず、戦時債権の回収への不安です。ヨーロッパの連合国は第一次世界大戦の戦費を他国から借り受けていました。特にアメリカが多額で、連合国側が負けてしまっては、回収のめどが立たなくなってしまいます。

さらに、在米ユダヤ人のユダヤロビーが議会と政府を動かし、イギリス支援のためにアメリカを参戦に誘導させていたのでした。

そのイギリスでは外務大臣アーサー・バルフォアが、ロスチャイルド卿に「バルフォア宣言」と呼ばれる書簡を送っています。内容はイギリスがユダヤ人にパレスチナ国家建設を認めるとするもので、これを受けてユダヤ財閥ロスチャイルド家がイギリスを支援しました。

アメリカの参戦で、連合国は西部戦線におけるドイツの前進を阻むことができるようになり、戦局は大きく変わります。戦争の最中にロシア革命が起きロシアが連合国側から脱落しますが、それでもドイツに戦う力は残っていませんでした。

そして、1918年11月11日に停戦協定が結ばれ、戦争は終結しました。

ここで、第一次世界大戦での日本の動きを見てみましょう。まず、日英同盟を口実にイギリスの同盟国としてドイツに宣戦布告し、1914年8月に参戦します。

ヨーロッパ戦線が熱を帯びるなか、日本はアジアと太平洋地域におけるドイツの根拠地へと進出。そして、青島や山東省を接収し、赤道以北のドイツ領南洋諸島の一部をも占領しました。

1915年には、時の首相である大隈重信が中国の袁世凱政府に対し「二十一カ条の要求」を突き付けています。

二十一カ条の要求は、山東省の利権などドイツ権益を日本が継承するものでした。日本の中国への進出をアメリカは警戒しますが、1917年、「石井・ランシング協定」で、アメリカはしぶしぶ日本の中国における特殊権益を認めました。しかし、それは中国での反日感情の高ぶりと、アメリカとの間に禍根を残すものでした。

有色人種である日本の躍動に脅威を感じたアメリカ

アメリカ合衆国第28代大統領に就任したのは、プリンストン大学総長から政界に転身しニュージャージー州知事を務めた、民主党のウッドロウ・ウィルソンでした。在職が1913〜1921年ですから、第一次世界大戦の最中と戦後、アメリカを主導したことになります。

第28代大統領ウッドロー・ウィルソン。第一次世界大戦期の大統領として、大戦後に国際連盟を提唱した

第一次世界大戦戦後、アメリカは国際連盟の結成を提唱します。その基となったのが、ウィルソンが発表した「14カ条の平和原則」でした。

それは「秘密外交の廃止」「公海の自由」「植民地問題の公正な解決」などを謳うもので、第10条には「オーストリア・ハンガリー帝国内諸民族の自決」が記されていました。

このように「民族自決」――それぞれの民族はみずからの運命をみずから決すべき――という「大義」が盛んに喧伝されており、新覇権国アメリカを脅かす旧覇権国（ハプスブルク帝国など）の衰退に寄与しました。大英帝国も英領インド帝国を先頭にほころびを見せ始めます。

もっとも大英帝国の崩壊は、太平洋戦争を機にアジアが民族自決に覚醒したことによりますから、引導を渡したのは間違いなく日本です。しかし、日本という有色人種のこのような躍動は、アメリカにとっても脅威でした。

なお、アメリカは国際連盟提唱国でありながら、国際連盟には加盟しませんでした。ウィルソン自身はアメリカの伝統的な外交姿勢の「孤立主義」をやめて、積極的に国際問題に関与する姿勢を打ち出しました。孤立主義とは、他国と同盟関係をつくらず国際組織にも加入せずに、孤立を保持する外交上の主義です。

しかし、ウィルソン政権下のアメリカでは上院議員の多くを共和党議員が占めており、彼らは「対外行動の自由の確保」を理由に、孤立主義を続けるべきだと主張しました。

結局、1919年6月に連合国とドイツの間で締結された第一次世界大戦の講和条約「ヴェルサイユ条約」には民族自決の原則、国際連盟の創設なども盛り込まれますが、アメリカは孤立主義を貫き、国際連盟には加盟しなかったのです。

その後、共和党のウォレン・ハーディングが、アメリカ合衆国第29代大統領に就任（1921~1923）すると、「平和への復帰（常態への復帰）」をスローガンに、ワシントン会議を提唱します。

1921年の年末から翌年の初頭まで開催されたワシントン会議には、米・英・日・仏・伊・オランダ・ポルトガル・ベルギー・中国の9カ国が参加。太平洋に関する4カ国条約（米・英・仏・日）で、日英同盟の破棄が成され、中国に関する9カ国条約で、石井・ランシング協定も破棄されます。

この結果、日本の山東半島（青島）などの中国政策は後退します。ワシントン会議ではアメリカの発言力が強まり、国際協調が進むなかで日本は大きな後退を余儀なくされました。

また、ワシントン海軍軍備制限条約で主力艦（戦艦、巡洋戦艦）の比率が、英米日＝5：5：3と定められました。これが「ワシントン体制」と呼ばれる東アジア、太平洋における国際秩序体制です。なお、これに続く1930年のロンドン軍縮会議では、主力艦を除く補助艦艇の比率が、英米日＝10：10：7弱と規定されました。

ところが、この規定の受け入れは日本で物議を醸します。

当時の浜口雄幸内閣が、海軍軍令部の承認なしに兵力量を決定したのですが、これが大日本帝国憲法第11条で定められていた「天皇の統帥権」干犯であるとして、右翼や政友会が攻撃したのです。

大日本帝国憲法では、天皇が大元帥として陸海軍の総司令官となります。すなわち、海軍軍令部の承認なしの決定は聖域を犯したものでした。この問題が契機となって、日本は軍国主義の時代へと突入するのでした。

社会主義的な性格を持ったニューディール政策

1929年に世界恐慌が起きると、翌1930年には第31代大統領ハーバート・フーヴァーのもとで、アメリカは「スムート・ホーリー法」によって高関税政策を実施します。目的は高関税による国内産業の保護にありましたが、これは暗に日本をターゲットにしたものでした。

ただ、スムート・ホーリー法は悪法であり、報復措置として多くの国がアメリカの商品に高い関税をかけたため世界貿易が停滞し、いっそう恐慌を深刻化させてしまいます。

次期大統領を務めたのは、民主党の（ユダヤ系とも言われる）フランクリン・ローズベルトで、彼はいわゆる「ニューディール政策」を採用します。かつては成功例とされていたニューディール政策も、現代アメリカ史学においては「失敗」と見なされています。

ニューディール政策は、従来の自由放任主義を改め政府の積極的な介入により経済を立て直すというものです。しかし、農業政策を指導した農業調整局の業務は社会主義そのもので、多くのアメリカ共産党員が、その身を隠して採用されていました。

農業調整法が定められ、農民の救済のために生産制限と過剰農産物の政府買上げなどが実施されますが、矛盾も多く大農場に有利なものとなってしまいます。

しかも、農業調整法は政府の統制権限があまりにも強すぎて、結局、連邦最高裁判所で違憲判決を受

第32代大統領フランクリン・ローズベルト。ニューディール政策を掲げ、第二次世界大戦におけるキーマンにもなった

けてしまいました。

さらにローズベルト政権は、1933年11月には「ソ連との貿易は1929年に始まった世界恐慌からの回復に有効である」としてソ連を承認します。それまでのアメリカ政府は反共産主義の立場から、ソ連の承認を拒んできましたが、その方針を変えたのです。

このようにソ連との距離を縮めた点を見ても、ニューディール政策とは社会主義的な性格を持つものでした。

「神との絆」を経済活動に持ち込むアメリカ人

ローズベルト大統領の政策は「ニューディール・リベラリズム」と呼ばれ、次のような定義が成されました。

「ニューディール・リベラリズムとは、社会の改革に政府の力を用いることである」

「リベラリズム」という語の幹を成す「リベラル」は「自由」というニュアンスで説明されがちですが、アメリカの政治思想においては、「自由」よりも「平等」という趣きの強い語です。

つまり、ニューディール・リベラリズムの「リベラリズム」とは平等、すなわち「富の再配分」という性格を持つ語と考えてよいでしょう。

また、1620年にメイフラワー号で渡ってきたおもにカルヴァン派のアメリカ人の先祖たちは、英国国教会という、いわば「国定の教会」から分離し、自由な信仰実践の場を建設しようという人々でした。ゆえに彼らピューリタンは、「我々アメリカ人は自由なのである」という意識が強く、それは現代のアメリカ人にも引き継がれているのです。

使徒パウロの定義では、信仰とは見えない約束に証拠を伴い信頼を置くことです。ゆえにカルヴァン派のクリスチャン、とりわけピューリタンは「神と神の規準を第一にすれば、生活必需品は与えられる」というイエスの言葉に信頼を置いています。

そうなると、国が定める社会保障という福祉政策への過度の期待は「不信仰」という悪徳に限りなく接近することになります。つまり、社会保障政策の極みである社会主義は、アメリカ人の美徳の対極にあると言えるのです。

カルヴァンによると、仕事は天職、才能は神の贈り物、それを最大限活用し得た富と蓄財は神に栄光を帰すものでした。「自助努力」という美徳には、この種の宗教的背景があります。

ニューディール・リベラリズム以前は、市場での自由な競争に任せておけば、価格や生産がともに調節され向上すると考える、古典派経済学の市場至上主義がアメリカ経済の主流でした。

ところが、世界恐慌という未曾有の例外的状況に直面し、ローズベルト大統領はこの伝統的価値観からの転換を求められました。世界恐慌の影響が極めて少なかったのが、社会主義計画経済の国家であるソ連だったからです。

こうしてソ連に倣った、強い国家の時代がアメリカ史に登場します。赤（社会主義）に染まった1930年代は、その後、国家の価値と秩序を第一とし、国民の権利よりも国家の利益を優先させる「国家主義」の1940年代を招来したのです。

「自衛の戦争」という大義が必要だったローズベルト

第二次世界大戦が始まるのは1939年9月ですが、すでにその4年前、1935年のヨーロッパにはきな臭い空気が漂っていました。

前年にドイツ総統となったヒトラーがヴェルサイユ条約を破棄し、ドイツでは徴兵制が導入され再軍備化が進んでいました。イタリアはムッソリーニの独裁政権体制になって久しく、他国への侵略の野心を露にしています。その1935年8月、アメリカでは「中立法」が成立します。

中立法は緊迫する欧州情勢に対して、孤立主義を採るというものです。これにより、交戦中の他国への武器輸出および船舶による武器輸送が禁止されました。

なお、中立法は有効期間を限定した時限立法で、1939年に第二次世界大戦が勃発すると、

1940年にはイギリスのみに武器を輸出してもよいと修正されます。

一方、ニューディール政策は1937年の新たな恐慌で失敗に終わります。結局、アメリカの景気回復は、第二次世界大戦の開始および参戦まで待つことになります。

第二次世界大戦は1939年9月1日に勃発しました。ヒトラーがポーランド政府に対し、第一次世界大戦で失った都市ダンツィヒの返還を要求したものの拒否され、これを契機に同国に侵攻、9月3日、ポーランドを支援するためドイツに対しイギリスとフランスが宣戦し始まった戦争です。

この一件の背後で、ローズベルト大統領が暗躍します。

まず、港町ダンツィヒはドイツ人がつくり住民の9割がドイツ系住民だったので、ポーランド政府にとって返還を拒む必然性はありませんでした。しかし、ローズベルトがアメリカ在住のポーランド人票欲しさに、ポーランド政府に拒否をうながしました。

さらに、ポーランドが安心して拒否できるように、ポーランドの後ろ盾になるよう、駐英、駐仏アメリカ大使がイギリスとフランスの政府に圧力をかけました。

ヒトラーにとってはイギリス、フランスと戦う理由がなく、西部戦線（ドイツとフランス間の戦線）は膠着状態が続き、半年間戦闘がない「奇妙な戦争」となりました。その間にヒトラーはイギリス、フランスに停戦を呼びかけています。

これが、ローズベルトが「演出」した第二次世界大戦です。あとはアメリカが「役者」となって出演し、ニューディールの失敗を糊塗《こと》するだけでした。

そして、参戦の効果は絶大でした。1933年に24・9パーセントだった失業率は、1938年には19・0パーセント、1944年には1・2パーセントにまで下がります。これは大戦景気によるもので、アメリカで第二次世界大戦が「良い戦争」と呼ばれている理由です。

独ソ戦開始の1941年、議会は武器貸与法を可決し、ソ連への武器輸出も可能となります。フォード社は自動車生産を中断し、航空機のエンジンを生産するなど軍事物資を生産。大戦景気の始まりです。

参戦してさらに大戦景気を煽り、ニューディール政策の失敗の穴埋めをしたいローズベルトですが、有権者に対しての公約が足かせになっていました。「皆さんのお子さんを戦場に送りません」と公約して大統領に当選していたからです。ゆえに、どこかの国のほうから宣戦布告してもらう必要がありました。自衛の戦争をするという「大義」が必要だったのです。

ローズベルトに対日戦を迫ったチャーチル

日本はヨーロッパが戦場になっていた第一次世界大戦の時期、イギリス領の東南アジア諸国をマーケットにしていました。そのため、マーケットが重なるイギリスとの間で貿易摩擦が起き、結果として1922年に日英同盟が破棄されました。

これは、いずれ自国が日本と衝突するであろうと予測していたアメリカにとっても好都合であり、むしろ必須事項とさえ言える好ましいものでした。

1929年の世界恐慌後のスムート・ホーリー法で日本のアメリカ市場からの締め出しが始まると、日本はイギリス領の東南アジア・マーケットへの売り込みを強化し、日英貿易摩擦はさらに深刻化しました。

それを見たイギリス首相ウィンストン・チャーチルは、1940年代になると本格的にアメリカのローズベルト大統領に対日戦を迫るようになりました。

イギリスとアメリカはそれ以前の1938年から、日本と戦闘状態にある中国国民党の蔣介石への援助を長期間にわたり共同で行っています。また、同時にソ連も蔣介石の国民党軍援助に加わりました。日中戦争で中国国民党を支援したアメリカ義勇軍戦闘機部隊は「フライングタイガース」の愛称で呼ばれましたが、活動をともにした中国国民党空軍機のパイロットにはソ連人も乗っていました。

日本にとっての「日中戦争」は、中国人、アメリカ人、ソ連人との戦いであり、英米資本主義（現在の自由主義国家群）と中ソ共産主義（現在の専制権威主義国家群）を、同時に敵に回していた戦争でした。
もっとも正確に言えば、中国共産党とはほとんど戦いませんでした。日中戦争では2千800回の戦闘があったとされていますが、そのうち共産党軍との戦闘はたったの8回とされています。中華人民共和国では、第二次世界大戦を抗日戦と呼び、9月3日を勝利記念日としていますが、じつは日本は蔣介石と戦い、そして、アメリカに敗戦したのでした。

日米開戦のシナリオを描いた胡適

1940年9月23日、日本は重慶への英米の蔣介石援護ルート（援蔣ルート）を遮断するため、北部仏領インドシナに侵攻します。その4日後、日独伊三国同盟が成立。そこで外相の松岡洋右は、日独伊三国同盟にソ連を引き込んだ「四国同盟」を模索します。

松岡はソ連を引き込むことでアメリカを牽制でき、アメリカも譲歩して日本に対する態度を緩和させ、参戦を回避できると考えたのです。

ところが1941年にドイツがソ連に攻め込んで独ソ戦が開戦、四国同盟は幻に終わります。

1918年のシベリア出兵、1939年のノモンハン事件と、ソ連と対決しながらも終始、「ソ連性善説」から脱しきれなかった点が、第二次世界大戦前後の日本外交の致命的欠陥でした。

１９４０年から翌年にかけて、アメリカが日本に対する経済封鎖を立て続けに行うと、１９４１年７月に日本はコメを求め、南部仏領インドシナ（現ベトナム南部）に侵攻します。同地域はオランダ領東インド（現インドネシア）の石油資源の接収への足掛かりでもありました。

そして、この侵攻はフィリピンを支配するアメリカにとっての脅威となりました。

日本はすでに、かつてのドイツ領のマリアナ諸島、カロリン諸島、マーシャル諸島、パラオを、国際連盟委任統治という形で統治していました。その日本が南部仏領インドシナとオランダ領東インドを占領するとどうなるのか？　米領フィリピンは、四方を日本に囲まれることになります。

そして、日米間の緊張がピークに達したこの時に登場したのが、駐米中国大使の胡適《こせき》でした。本書では胡適を「ワーストイレブン」のディフェンダー（ＤＦ）のひとりに選びましたが、日米開戦のいわば「起点」となるシナリオを描いたのが、胡適でした。

「ハル・ノート」の尖鋭化を進め、日本の外堀りを埋めた胡適

すでに触れたように、アメリカの伝統的な外交政策が孤立主義です。それゆえ、１９３８年

フランクリン・ローズベルトと胡適。胡適は中国の文学革命運動を牽引したひとりであり、アメリカで際立った外交活動を展開した

に駐米大使となった胡適は、スペイン内戦や日中戦争の時期に中立派が主流であったアメリカで、武器の無差別禁輸（中立法）を修正し、さらには孤立主義を放棄しアメリカが日米太平洋戦争に乗り出すよう働きかけます。

胡適はイギリスの歴史家トインビーに多大なる影響を受けています。トインビーは、日本軍人の振る舞いが、やがて日本全国民の「切腹」、すなわち民族的自決であり敗北を招くことを予言していました。

そして、パクス・アメリカーナ（アメリカの覇権）の実現には日米戦争が不可避だとトインビーは唱え、アメリカをローマ帝国、日本をポエニ戦争に敗れたカルタゴになぞらえたのです。それは、ローマ帝国の世界帝国への道が、ポエニ戦争での勝利で開かれたからでした。

胡適はじつに碩学な人物でした。「切腹」する日本の「介錯」の役割を果たすのが中国である。そしてその日は必ず来る――そう信じた胡適は、１９３７年から始まった日中戦争に、中国が負けるわけにはいかないと考え、それを論文にしたためてもいます。

胡適はアメリカ、カナダ各地で講演活動を行い、中国人が日本人に比べて民主的であり、そのために戦っている「文明化した民族」であるということを訴えます。学会、経済界、新聞界、宗教界、婦人団体でそのことを強調し、アメリカ人の良心に訴え同情と支持を得ました。

また、1939年にヒトラーのポーランド侵攻により第二次世界大戦が勃発し、翌年に日独伊三国同盟が締結されると、胡適の宣伝活動は奏功するようになります。

その胡適の仕事の真骨頂が、1941年11月26日にアメリカ政府の国務長官コーデル・ハルが日本に突き付けた、いわゆる「ハル・ノート」の内容の尖鋭化でした。

アメリカの国務長官コーデル・ハル。1941年から日米開戦を回避するための交渉が駐米大使野村吉三郎らとハルらとの間で約50回にわたり行われたが、合意至らず、日本は12月8日に真珠湾を攻撃したことで、交渉は打ち切られた

日本が北進論を捨て、南進論を選択し、南部仏領インドシナだけから撤収すれば中国戦線に戦力を集中することになる……。この中国にとっての最悪の事態を招かぬよう、胡適は「ハル・ノート」11月24日案の第二条の「アジアの東南、東北の脅威」という文言に、何とか「中国」を含めようと画策します。

結果、11月27日に東京で受信された通達の第三条は「日本は支那および仏印より一切の軍隊を撤収すべし」となりました。

また、11月22日にイギリス、オーストラリア、オランダ、中国の4カ国代表との協議で、胡適は日本に一切妥協しないことを主張し、日本の外堀を埋めていったのです。

「ハル・ノート」の作成に関わったソ連のスパイ

1941年11月25日、ハル国務長官、スティムソン陸軍長官、ノックス海軍長官、マーシャル陸軍参謀総長、スターク海軍作戦部長がホワイトハウスに集い、ローズベルト大統領とともに、いかにして最初の一発目を日本に撃たせるかを協議しました。

翌11月26日に日本に突き付けたハル・ノートの内容は、「日独伊三国同盟の破棄」「重慶の蔣介石政権のみを正統とし、日本が後ろ盾となっている汪兆銘の南京国民政府は認めない」「中国とインドシナからすべての陸軍、海軍、空軍の兵力および警察力を引き上げる」ことを求めるものでした。

ここでは「中国」という曖昧な表現が使用されていたので、そこに満洲を含むのか否かは明確ではありませんでした。しかも、受け取り方によっては、日清戦争で併合した台湾までも含むようにも思えます。日本を混乱させ追いつめ、「窮鼠猫を噛む」といった事態に至らせる意図があったとも推察できます。

なお、ハルは戦後ノーベル平和賞を受賞しますが、1995年に米国情報公開法に基づいて公開された機密文書「ヴェノナ」によると、当時アメリカ政府には、ハリー・ホワイトとアルジャー・ヒスというソ連（コミンテルン＝第3インターナショナル、本部モスクワ）のスパイがいました。このふたりのスパイがハル・ノートの作成に関わったのです。

ちなみにユダヤ人のホワイトはローズベルト政権で財務次官補を、ヒスは1945年2月のヤルタ会談でローズベルトの外交顧問を務めました。

曖昧な表現は、のちの1945年7月のポツダム宣言にも見られました。7月2日のスティムソン案では天皇制の継続を保証する文言がありましたが、7月3日のバーンズ案にはありませんでした。

そのため日本政府は同宣言を受諾せず、日ソ中立条約が有効であると信じてモスクワでのスターリンによる仲裁を模索します。そして、2発の原子爆弾が投下されるまで、ポツダム宣言を受諾しませんでした。

アメリカ海軍はすでに1932年2月の段階で、日本海軍による真珠湾攻撃を想定した訓練を実施しています。日米交渉が決裂すれば真珠湾が攻撃のターゲットになることは想定内でした。ローズベルトも真珠湾攻撃の直前に、日本の攻撃があることを知っていたのでしょう。

ところが対日開戦前夜、フィリピンにのみ警告を発しハワイには何の連絡もなかったのだから、「ハワイには知らせるな」という大統領令があったとも考えられます。

そして、1941年日本時間12月8日2時30分に日本陸軍が英領マレー半島に上陸、3時19分に日本海軍によってハワイの真珠湾攻撃が成されました。

日本海軍は戦艦アリゾナなどを撃沈、米兵の死者は2343人、不明者は916人で、日本側の損害は航空機など29機でした。

日本海軍はハワイ空爆での攻撃の的を、軍艦、軍用機、軍事施設に限定しました。真珠湾攻撃における米国市民の死者は68人でした。

本国から何の警鐘も鳴らされなかったのですから、民間人の犠牲者が出てもおかしくはなかったのです。開戦のためなら自国民の多少の命を犠牲にしてもかまわないと構えるのも、またアメリカでした。

真珠湾攻撃の報を聞いたチャーチルは言った――「これでゆっくり眠れる」

こうしてニューディール政策が功を奏していなかったローズベルト大統領は、ヨーロッパ戦線つまり第二次世界大戦への参戦で経済復興の足掛かりをつかみ、命拾いしました。また、イギリスのチャーチル首相は、真珠湾攻撃の報を聞き「これでゆっくり眠れる」と言ったと伝えられています。

そして、もうひとり、大喜びをした人物を挙げるとしたらスターリンでしょう。

日独伊三国同盟があるので、「日米開戦＝米独開戦」、つまりヒトラーがアメリカと戦うことになったのです。当然、対ソ連の戦場でのドイツの戦力は、対アメリカという負担増の影響で低下します。第二次世界大戦における最大の死者は、独ソ戦でのソ連兵ですから、ソ連にとってアメリカの参戦は最高のアシストでした。

当時の外相の松岡洋右はのちに、「三国同盟、我が人生最大の失策なり」と述懐しましたが、たったひとりの人間の失策が多くの人に惨禍をもたらすのが人類の歴史の常です。

三国同盟を結べば、アメリカが米日戦争に踏み切った際、米独戦争も同時に起こることになります。そうなるとアメリカも負担が大きく、日米開戦を思いとどまり回避できると——そう松岡は考えたのです。

しかし結果は、米日が開戦すれば米独が開戦できる、すなわちアメリカが第二次世界大戦に参戦できる——という理屈に、逆に利用されてしまったのでした。

松岡は1933年、国際連盟の総会で、当時の日本を「刑柱上のキリスト」になぞらえ、今見ている者には実像が見えていない、というニュアンスの演説をしました。つまり、キリストが濡れ衣で磔刑に処せられたように、誤った輿論は数年のうちに必ず変化するであろうと述べ、日本の立場を強弁したのです。

しかし、その演説は他国の代表の心に響くことはありませんでした。そして日本は、国際連盟脱退、国際社会での孤立、1940年の日独伊三国同盟、1941年の日米開戦という道を歩んでしまうのです。

三国同盟については、真珠湾攻撃の中心人物だった山本五十六が「アメリカの警戒心を高めるだろう」という認識を示し反対していました。それでも、山本はすでに1934年には対米戦争を決意しており、真珠湾奇襲という博打を打ってしまいます。

松岡にも山本にも、長期にわたるアメリカ留学の経験がありましたが、それを活かすことができなかったのが悔やまれます。

三国同盟に関していえば、そもそもドイツに対する評価も甘すぎました。それは、現在の日本人にも沈殿するかもしれないセンスです。

1937年に日独伊防共協定を結び「反共」を前面に出しながら、1939年の第二次世界大戦勃発の1週間前に、独ソ不可侵条約を結んだのがドイツです。翌年、そんな国とイタリアとの三国同盟を結んだのが日本でした。しかも、日中戦争の時期、ドイツは蔣介石政権に積極的に武器を売っていました。

いずれにしても、日米が揃って参戦となったことで、それまではヨーロッパの局地戦争が二度目の世界大戦、そして核兵器の使用を伴う戦争へと変貌したのでした。

「原爆の実験室」にされた日本

ドイツとの戦争が8月まで続いていたら、アメリカの科学者や軍人たちは、はたして、ドイツに原爆を落としたでしょうか？ それは考えられません。理由は当時、連合国軍総司令官を務めていたドワイト・D・アイゼンハウアーをはじめ、ペンタゴン（国防総省）の要人の多くがドイツ人を祖先としていたからです。

アメリカは、1945年に3発の原爆を完成させます。3発の原爆は「トリニティー」「リトルボーイ」「ファットマン」と名づけられますが、結果としてこれらの成果は、それぞれ7月16日にニューメキシコの砂漠、8月6日に広島（死者14万人）、8月9日に長崎（死者7万人）で実験されました。

なぜ、広島にウラン製原爆のリトルボーイが、そして長崎にプルトニウム製原爆のファットマンが落とされたのでしょう。

アメリカではハリー・S・トルーマンは、原爆の使用を決断し、第二次世界大戦を終結させた大統領とされている

1945年春までに日本の国土は爆撃しつくされ、人口5万人以上の都市で残されていたのは、広島、長崎、小倉、新潟だけでした。

日本はすでに瀕死状態で、敗戦を受け入れるのは時間の問題でした。実際、アメリカ国内でもそう考えた要人がいました。ゆえに、原爆の投下はもはや必須ではありませんでしたが、それでもアメリカは原爆を日本に投下しました。

それは「実験」だったからです。

トリニティーを実験的にニューメキシコの砂漠に落としているので、次の実験は次の段階に進んだものでなければなりません。となると、次はもっと実戦的であることが求められ、建物は密集しているべきで、同時に戦争ですから軍事拠点でなければなりません。

長崎への「攻撃は軍事的に重要な意味がある」という米軍の調査報告があることからわかるように、広島も長崎も、まさに実験用モルモットでした。

その実験を行ったのが、ローズベルトの死去に伴いアメリカ合衆国第33代大統領に就任したハリー・S・トルーマン大統領、スティムソン陸軍長官、グローブス将軍、ティベッツ大佐らです。トルーマンは日本が戦争をやめる前に原爆を使いたかったのです。また「無警告で原爆を都市に使用する」と決定したスティムソンは、社会ダーウィニズムの信奉者で、優れた民族が世界を指導すべきだという信念を持つ人物でした。

じつは広島への原爆投下以前に、すでに日本全体が模擬原爆の実験場と化していました。長崎に投下された原爆ファットマンと同サイズの「パンプキン」です。パンプキンはファットマンと同じ型、大きさ、重さで、中身がTNT火薬の爆弾でした。

全国に49発落とされ、死者は400人を超えました。ただし、模擬原爆の広島、長崎、新潟、小倉への投下は禁止でした。模擬原爆で先に被害を与えてしまうと、本物の原爆を投下した際の正確なダメージを測定できなくなるからです。

1945年7月29日に現在の東京都西東京市と山口県宇部市に、長崎投下の前日の8月8日には愛媛県宇和島市に投下されました。宮城（皇居）を狙ったパンプキンは、東京駅近くの八重洲橋と呉服橋の間に落とされました。

日本がポツダム宣言を受諾した8月14日時点でも、3発目の原爆の準備が進められており、その日程は晴天の場合、8月17日か18日のいずれかだったのです。

✹原爆投下はまさにホロコーストだった……

1995年、アメリカ国立スミソニアン航空宇宙博物館は、第二次世界大戦終結50周年を記念し、広島に原爆を投下した「B29『エノラ＝ゲイ』展」を計画しました。実質的に原爆展になるはずで、爆心地の惨状を撮影した写真や、原爆の熱線で気化した少女たちが残した弁当箱など、広島と長崎の原爆資料館から貸し出された資料が展示されるはずでした。

しかし、展示内容が周知されると、アメリカ国内から猛烈な反対が起こり、博物館に対する政治的圧力が強まるようになります。政治家は誰ひとりとして博物館を擁護することなく、「ワシントンポスト」といった新聞も、「B29『エノラ＝ゲイ』展」に対して批判的な社説を載せるほどでした。

結局、博物館の計画は骨抜きにされ、原爆被害を伝えるものは一切展示されず、「原爆投下が戦争終結を早めた」という従来のアメリカのキャッチコピーのなか、「エノラ＝ゲイ」が展示されるだけの、文字どおり、「B29『エノラ＝ゲイ』展」になったのでした。

つまりアメリカは、政界、そしてジャーナリズムを上げて、原爆投下が戦争犯罪であることを完全否定し、原爆投下の正当性、「神の国」の「大義」を少しでも傷つけるものを、完全に拒絶したのでした。

しかし、このアメリカ社会の動きに真っ向から反発したジャーナリストが現れます。フィリップ・ノビーレとバートン・J・バーンスティンで、彼らは抹殺された原爆展のスクリプト（台本）を一冊の本にまとめました。それが、『葬られた原爆展　スミソニアンの抵抗と挫折』（五月書房）です。

少し長くなりますが、『葬られた原爆展　スミソニアンの抵抗と挫折』より引用したいと思います。これは爆心地にいた被爆者の手記であり原爆被害の紛れもない真実であり、「神の国」に住む人々が完全に拒絶したものです。

一九四五年八月六日の朝、広島第一高女の一、二年生五百四十四人が爆心地から三百ないし五百メートル離れた材木町にある西福院の南側で、防火帯を作るため瓦礫を取り除いていた。彼女たちは爆風と熱をまともに受けた。生徒のほとんどは即死した。最初の爆発を生き延びた生徒も確かにいたが、続いて起こった火事のため彼女たちも亡くなった。生存者は五百四十四名中十六名と推定されている。

「次の朝、私は頭に包帯をした。私も火傷を負っていた。それから仕事場に出かけた。

たくさんの生徒の目玉が飛び出ていた。彼女たちの口は爆風で引き裂かれたままで、顔は焼け爛れ、髪は燃えてなくなり、着ているものは体から焼け落ち、爆風で服のあちこちは吹き飛ばされていた。女生徒の制服は完全に焼け落ちて、彼女たちは素っ裸だった。その光景はまさに地獄だった」

一九四五年十二月三日、広島第一高女の校長　宮川造六氏

長崎についても、『葬られた原爆展 スミソニアンの抵抗と挫折』から引用します。

浦上川流域での物理的破壊は広島よりはるかにひどかった。使用された爆弾が広島のものよりずっと強力であり、また山に取り囲まれていたので効果が集中したからである。実際、立っているものは何もなかった。近くの神社や寺で、また美しい浦上天主堂で礼拝していた人々は、その祈りの途中で死んだ。授業を受けていた子供たちは教室で死んだ。捕虜は監房の中で死んだ。工員は機械の操作中に死んだ。

「見渡す限り家と木が倒れ、廃墟から火災が起こっていました。私は道路で馬車を引いている人の死骸を見ましたが、その人は依然として立っていて、髪は針金のように逆立って

いました。浦上川は死んだ人や瀕死の人々で一杯でした。火傷した子供たちは、〝お母さん、お母さん〟と叫んでいました。母親たちは声にならない声で子供の名前を呼んで探しまわっていました」

長崎　黒川ひで

このように、原爆投下はまさにホロコーストでした

なお、物理学者のロバート・オッペンハイマーをはじめ、アメリカの原爆開発に決定的な役割を果たした5人がユダヤ系の人間であることは興味を引きます。

もともとは、「ヒトラーが原爆を手にする前に開発しないと大変なことになる！」という危機感から、全米の科学者が知を結集し完成させたのが原爆でした。ところが、ある時点でヒトラーに核開発の予定がないことが判明し、振り上げた拳を下ろす相手が必要となったのです。

ルメイが計画・実行した東京大空襲というホロコースト

1945年の東京大空襲も、紛れもない日本に対するホロコーストでした。

1945年3月10日の大空襲は、高度1600から2200メートル程度という、超低高度、

東京大空襲における無差別爆撃を命じたカーチス・ルメイ。1964年、ルメイは「日本の航空自衛隊育成に協力した」という理由で勲一等旭日大綬章を授与されている

夜間、焼夷弾攻撃という新戦術が本格的に導入された初めての空襲でした。

その目的は、木造家屋が多数密集する市街地を、散在する町工場もろとも焼き払うことでした。

米陸軍航空軍司令官カーチス・ルメイの頭のなかでは、「東京をはじめ各都市に対して行った爆撃は、軍需工場とそこに働く労働者に絞って狙ったもので原爆とは違う」という論理が存在していました。ルメイは、赤ん坊を含めてすべての人間を虐殺した原爆とは異なると考えていたようです。しかし、東京大空襲によってもたらされた損害は、原爆投下に匹敵しました。

ルメイが東京に加えた爆撃は、非常に組織的で徹底したものでした。

アメリカ兵が「巨大な花火」と呼んでいたM69爆弾は、高度700から1700メートルで発火する仕組みで、外側の枠の爆破とともに大量のジェル状の仕掛け爆弾が花火のように飛び散るものです。しかも、5秒後には飛び出したジェル状の物質が周辺物に付着して火災を起こします。

爆撃隊はまず東京を円状に取り囲み、この爆弾を超低空から30メートル間隔で落としました。次にジェル状の発火物で燃え上がったところへ、今度は「タンク」と呼ばれる爆弾を投下します。タンクには610ガロン（約2300リットル）のガソリンが詰められていたのですから、一面は火の海となりました。

ルメイがここまで徹底した残虐行為を行った背景には、軍内の手柄争いがありました。東京都民は、その巻き沿いになったのです。

ワーストイレブンにおける攻撃的ミッドフィルダーに選出したルメイは、朝鮮戦争で100万人を殺害し、キューバ危機ではキューバに設置されたソ連のミサイル基地の爆撃、さらにベトナム戦争では北ベトナムへの継続的な攻撃を主張した人物でした。

なお、太平洋戦争で連合軍を指揮し、戦後、日本占領を統括し主導したダグラス・マッカーサーは敬虔なプロテスタントでした。彼は日本をキリスト教徒の理想の国に、グレート・リセット（すべての再構築）したあとで、共産主義の防波堤にしようとしました。

その後、マッカーサーは朝鮮戦争で北朝鮮や中華人民共和国、ソ連という共産主義国家群と対峙することになります。いわば日本目線に立つことになるのですが、それにより1932年に日本が建国した満洲国の意味や、日本が満州から内蒙古にかけて防共回廊を建設しようとしたことの意味を理解しました。

結果、マッカーサーは日本が行った戦争を「自衛の戦争」と総括しました。

ちなみにマッカーサーの父親アーサーは、1899年から1902年にかけて、アメリカとカトリックの国フィリピンの間で発生した米比戦争で、現地の先住民族40万人を殺害、絶滅させた人物であったということも追記しておきます。

第8講

イスラエルとウクライナ——ふたつの戦争と「死の商人」

✸アメリカ政府に巣食う「ネオコン」

ここまで、人類史ではなぜ暴虐や虐殺が起きるのか？　それについて私なりに紐解いてきました。

そして、これまでの人類史はある意味で暴虐の歴史でもありました。おそらく、これからも人類は人類史に新たな暴虐の歴史を刻み続けることでしょう。

では、21世紀の世界史に新たな暴虐の歴史を刻むのは誰か？　私が注目している存在が「アメリカ」「ユダヤ（あるいはイスラエル）」、そして「ネオコン」です。

2023年11月現在、ロシアによるウクライナ侵攻と、パレスチナ・ガザ地区を支配する武装組織ハマスとイスラエルの紛争が、世界を揺るがしています。

一見、関係がないように思えるふたつの戦争ですが、ここに来て、これらの戦争が大規模な「死の商人」によるニュービジネスである側面が見えてきました。

ウクライナの戦争において、アメリカは「中国が秘かにロシアに武器支援をしているのではないか」と疑っていました。ところが、アメリカのメディア由来の情報をもとに、中国は「アメリカがウクライナに渡した武器の一部がハマスに渡っているのではないか」という分析を取り上げて対抗します。

ウクライナへのアメリカ製武器の提供が、違法な武器密売の急増を引き起こす可能性があるという指摘は以前からありました。それはウクライナが極めて腐敗指数の高い国家であり、ウクライナ政府による武器の横流しが横行すると危惧してのことでした。

しかも、アメリカは以前からウクライナに手を突っ込んでおり、パレスチナ・ガザ地区において、イスラエルは戦争の当事者です。そのイスラエルをアメリカは寵愛しています。また、アメリカではネオコン（この後詳しく説明します）が政府に食い込んでおり、彼らは極めてユダヤあるいはイスラエルに近い存在です。しかも、ネオコンは軍需産業と密な関係にあるのですから、表面的に無関係な戦争でも、水面下でこれらがネットワークをつくることは可能です。

前講ではアメリカという国のいわば精神構造を解き明かしてみました。それは「大義」を振りかざし「正義の裁き」を行い、地上にみずからの手で「復楽園」をもたらすというものです。

アメリカのそれは一種の「設計主義」であり、設計主義が虐殺を伴うことはすでに20世紀に証明されています。しかし、国際社会で一強となったアメリカは、みずからの「大義」を疑うことはしません。しかも、潤沢なユダヤマネーがセットになっています。

たとえば、アメリカでの人口2パーセント弱のユダヤ人が、全米トップ100人の大富豪の3分の1を占めています。

そこでここからは、「アメリカ」「ユダヤ（あるいはイスラエル）」「ネオコン」をキーワードに、彼らがウクライナやパレスチナで何をしてきたのかを解き明かしつつ、「死の商人」のニュービジネスにもスポットを当てたいと思います。

シュトラウスの徹底的なエリート主義が浸透したホワイトハウス

ネオコンとは「ネオコンサバティズム（Neoconservatism）」の略称です。「新保守主義」とも呼ばれる、国際政治へのアメリカの積極的な介入やアメリカの覇権を重視し、アメリカ的な思想を世界に広めることなどを信条とする保守勢力です。軍需産業とも結びつきが強く、彼らの多くがユダヤ系です。

ネオコンの理論的な源泉は、政治哲学者のレオ・シュトラウスです。シュトラウスは1899年、ドイツの小さな都市マールブルクに生まれます。彼の両親は地域に同化せずに自治的に生活する、正統派のユダヤ教徒でした。

シュトラウスは大学でナチスの御用学者マルティン・ハイデガーから指導を受けました。その後、渡米し、晩年の20年間をシカゴ大学で教鞭を執り、学会に多大な影響力を及ぼします。
彼はエリートを「真理」を独占する「司令塔」と位置づけました。そして、庶民は「真理」を知る権利すらないという、徹底的なエリート主義を打ち出し、その思想はホワイトハウスの執務官たちに胚胎しました。

シュトラウスはホッブズの研究家でした。トマス・ホッブズは、ピューリタン革命後の共和政期のイギリスで、1651年に『リヴァイアサン』を発表します。それは彼の政治思想がよく現れたもので、ホッブズは『リヴァイアサン』で自身の社会契約説を展開しました。

そもそも「リヴァイアサン」とは、『旧約聖書』の「ヨブ記」に登場するワニのような生き物です。「The great rebellion（大いなる反抗）」と英国史が記述するピューリタン革命という動乱期に、「人間は人間に対して狼である」、ゆえに「万人の万人に対する闘争」を自然状態であるとしたのがホッブズでした。

ネオコンの理論的源泉である
政治哲学者のレオ・シュトラウス

ホッブズの社会契約説は、人民は自然権すなわち「人権」を全面的に「ワニのような怪物」に譲渡し、「狼」から生命を守ってもらうべきであるというものです。当時、彼の社会契約説は絶対王政を擁護するものでしたが、これがネオコンの思想の岩盤であり、力を絶対視する思想に他なりません。

なお、軍需産業と密接な関係にあるネオコンを支えているのはおもに共和党で、しかも親イスラエル政策を支持する人たちです。また、民主党とも結びつきはあり、ヒラリー・クリントンはネオコンの一員として知られています。ネオコンとバイデン政権の関係も「良好」と見られています。

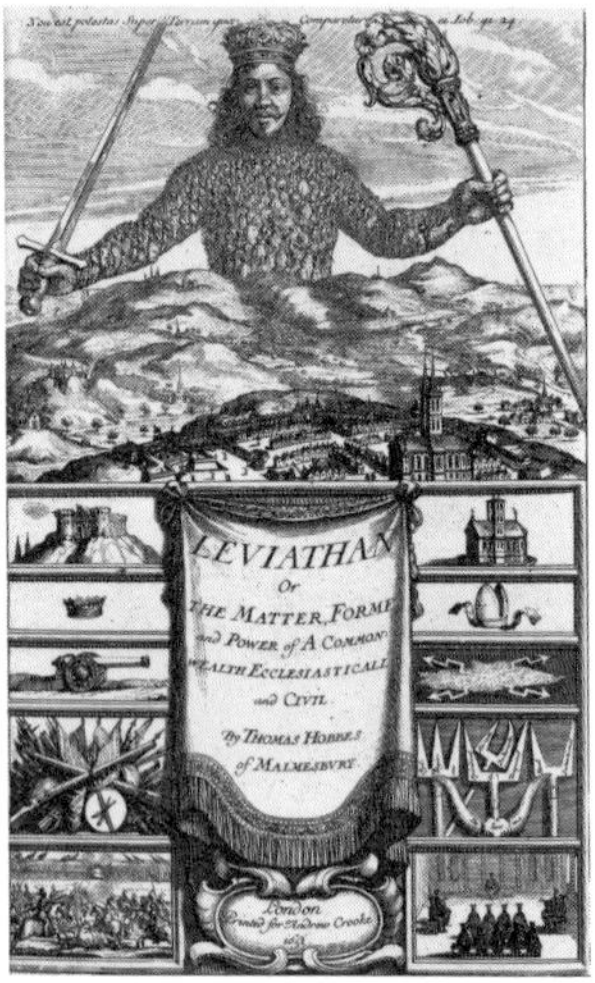

トマス・ホッブズと『リヴァイアサン』。ホッブズの社会契約説はネオコンの思想の岩盤でもあった

イラク戦争をデザインしたネオコンの論客

ネオコンの台頭が顕在化したのが、民間人50万人以上が犠牲となったイラク戦争でした。2003年、アメリカは「先制的予防」という発想から、大量破壊兵器開発の疑いが拭えないとして、イラクのサダム・フセイン政権を崩壊させました。

前6世紀のイスラエル（ユダヤ）民族存亡の危機、すなわちエルサレム攻略と「バビロン捕囚」は、新バビロニア王国の王でカルデア人のネブカドネザル2世によってもたらされました。ネブカドネザル2世は前586年、パレスチナのユダヤ人のユダ王国を滅ぼし、多数のユダヤ人を首都バビロンに連行しました。

サダム・フセインは、みずからをネブカドネザル2世になぞらえた人物です。かつてバグダードの街には、ふたりのツーショットの壁画が描かれていました。

そんなフセインが率いるイラクは、近隣のイスラエルにとって直接の脅威です。それゆえ、アメリカ国内のユダヤ人票を固め2期目の大統領選挙に勝利したいジョージ・W・ブッシュにとっては、手法の正当性を度外視してでも排除したい対象でした。

ところで、フセインはアメリカが育てたようなものです。

１９７９年にイランでシーア派による「イラン・イスラム革命」が起きます。スンニ派の指導者であるイラクのフセインはその影響が自国に及ぶことを恐れ、翌年にイラン＝イラク戦争を始めます。

すると、イランと関係が悪化していたアメリカは、「イラン・イスラム革命を潰せ！」とばかりにイラクを支援したのでした。なぜなら、イラン・イスラム共和国の国是が、パレスチナをユダヤ人から「解放」することだからです。

そんなフセインの排除を強行に推し進めたのが、ネオコンのポール・ウォルフォウィッツでした。

ウォルフォウィッツはユダヤ人の血を引く人物で、代表的なネオコン論客のひとりです。イラク戦争時には国防副長官を務め、戦争をデザインしたのは、まさに彼だったのです。

ジェームズ・ティソによる「バビロン捕囚」の絵画

「フセインが大量破壊兵器を持ってい〝ない〟という証拠が〝ない〟ということは、イラクを攻撃する必要性が〝ない〟という論拠にはなら〝ない〟」

サダム・フセインとネブカドネザル2世のツーショットの壁画

これが、ウォルフォウィッツがフセインに対して突き付けた論法でした。もはや言いがかりでしかありませんが、一種の心理学の論法でした。

なお、ブッシュの究極の大義「中東から独裁者を排除する」「中東の民主化」「イラク、イラン、北朝鮮は悪の枢軸」という演説のスピーチライターは、いずれもユダヤ系ネオコンです。

2003年3月、イラク戦争はイギリスとオーストラリアの協力のもと始まりました。多国籍軍は開戦後、わずか3週間で主要都市を制圧。そして、同年5月にブッシュ大統領が戦闘の終結を宣言し、一応の終結を見ました。

アメリカはサダム・フセイン政権を崩壊させると、今度は「民主化だ！」とばかりに、後処理をイラクに委ね

ジョージ・W・ブッシュ政権で
国防副長官を務めた
ポール・ウォルフォウィッツ

ます。こうしてフセインと彼が率いるバース党を民主主義、つまり「多数決の世界」に放り込んだのです。

イラクを支配するバース党政権は世俗主義を掲げ、宗教や宗派の違いを政治の場で取り上げることはしませんでした。しかし、実際はイスラム教のスンニ派が優位になる権力構造をつくっていました。イラクではスンニ派は少数派で、国の60パーセントを占めるシーア派が多数派です。シーア派に対する弾圧の上にバース党政権は成り立っていたのです。

多数決で新政権を樹立させれば、多数派のシーア派が実権を握るのは必定です。バース党員はイラクで主要ポストに就けなくなるどころか、社会での居場所さえなくなっていきました。

新政権を樹立させたはいいものの、中東の人々にとって民主主義など、他の惑星の物語です。結局、国内は混乱し、それに乗じてイラク北部に出現したのが、のちのＩＳＩＬ（イラク・レバントのイスラム国）でした。そして、バース党の残党の喰いっぱぐれた官僚の再就職先がＩＳＩＬとなりました。

このように結果として、ＩＳＩＬというフランケンシュタインもアメリカがつくったようなもので、ＩＳＩＬとの戦いにも、また「軍事予算」が計上されました。

トランプが「選挙対策」でイランの要人の殺害を指令

アメリカ、特にユダヤに近いネオコンの中東政策の肝は、イスラエルの安全保障です。そこでイラク・バース党政権を排除したアメリカは、その矛先をイランに向けます。

２０１５年、国連安保理でイラン核合意（包括的共同行動計画）が決議されました。イランが濃縮ウランや遠心分離機を大幅に削減し、それをＩＡＥＡ（国際原子力機関）が確認したのちに、経済制裁を段階的に解除するという取り決めです。

ＩＡＥＡの査察でイランが合意事項を遵守していることが確認されていましたが、２０１８年にトランプ政権が核合意からの離脱を表明したことで、事態は一変しました。

２０２０年１月には、イラン最高指導者ハメネイ師直属のイラン革命防衛隊のソレイマニ司令官が、イラクを訪問中に米軍のドローン（無人機）による攻撃で殺害されます。これは、この年の11月に２期目の大統領選を控えるトランプが指示した、いわば「選挙対策」でした。

レバノン南部のシーア派民兵組織ヒズボラは、イラクの反政府勢力カタイブ・ヒズボラという組織を支援しており、このカタイブ・ヒズボラがイラク駐留の米軍と紛争状態にありました。そこで、アメリカはソレイマニを実質的に指揮権を握る人物と判断し、殺害したのです。

イラン革命防衛隊はイラン憲法では正式のイランの軍事組織ですが、もともとの存在目的は、「イラン・イスラム革命（1979）」の継続性を維持し、革命で倒した旧パフレヴィー朝に忠実だったイラン国軍を牽制することでした。

イラン革命防衛隊はイラク、レバノンなどでイスラム教シーア派の民兵組織を指導・支援しており、現在、親イランのシリア・アサド政権領内にも駐留します。そして長きにわたって、このシリア領ゴラン高原を占領しているのがイスラエルです。

また、ヒズボラはイラン革命防衛隊の下請けのような存在です。私が2003年に、レバノンのベイルートからイスラエル国境までレンタカーを運転しアクセスした際には、ヒズボラが支配するイスラエルの手前数キロ以内の道路の両側には、イラン・イスラム革命の指導者ホメイニとハメネイの肖像画が立ち並ぶ「ミニイラン」が存在していました。

湾岸諸国の設計図を勝手に描くアメリカ

ここで、トランプとイスラエルの関係について少し言及したいと思います。

イスラエルの首都はエルサレムです。しかし、日本を含む国際社会の大多数は、ユダヤ教、イスラム教、キリスト教の聖地があるエルサレムに対する主権をイスラエルに認めていません。ゆえに、それらの国は大使館をテルアビブに置いてきました。

アメリカは国際社会と意見を異にしており、長年、エルサレムをイスラエルの首都と認めながらも、大使館はテルアビブに置いてきました。1980年の国連決議478号が、「どの国もエルサレムを首都とはできない」という内容だったからです。

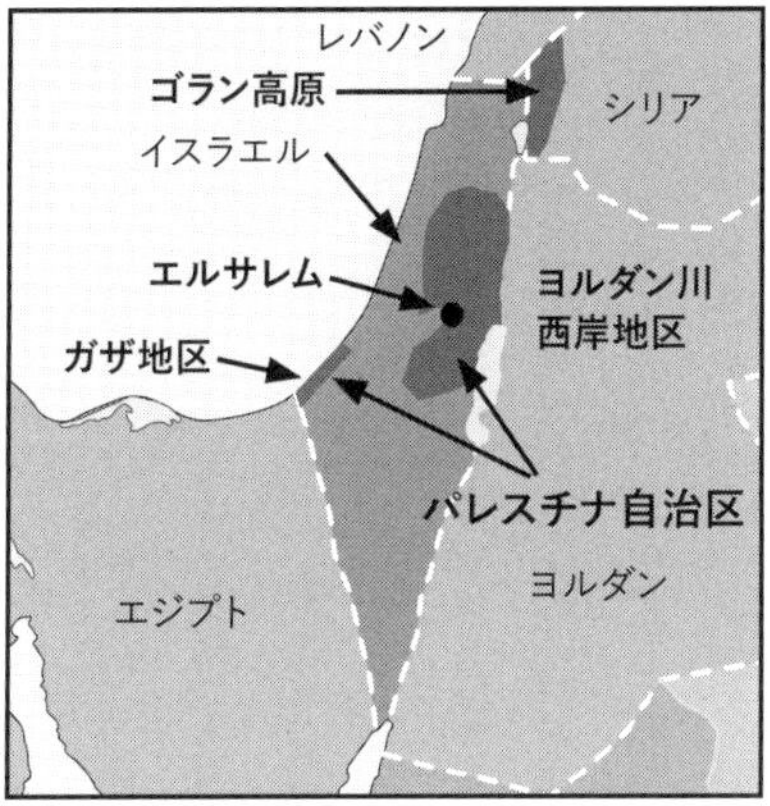

現在のパレスチナ統治の状況

しかし、アメリカの政界では長年、イスラエル寄りの政治家から大使館をエルサレムに移すよう求める圧力がかかっていました。そして、トランプは2016年の大統領選で大使館移転を公約に掲げ、2017年になるとエルサレムをイスラエルの首都として承認、国務省に対し大使館をテルアビブからエルサレムに移転するよう指令したのです。

さらに2019年、トランプ政権はイスラエルが占領するシリアのゴラン高原のイスラエル主権を認めます。翌年にはポンペオ国務長官がゴラン高原を訪問し、イスラエルの主権を擁護しますが、国連をはじめとする大半の国際社会は、ゴラン高原のイスラエルの主権を認めていません。当然、各国から非難の声が上がりました。

もっとも、イスラエルではトランプ政権は受けがよく、イスラエル全土で「トランプ・ストリート」「トランプ駅」などの命名が相次ぎました。

アメリカがイラク、イランに対して行ったことは、イスラエルの安全保障をイスラエルとアメリカが二人三脚で行っている証でもありました。

両国が湾岸諸国を自分たちが描いた設計図どおりにつくり変えようとする——その意図がありありとしており、ソレイマニ暗殺のように、武力行使も当たり前に行われました。

2021年4月には、イラン中部ナタンズの核関連施設で遠心分離機が使用不可能になりました。イランは「イスラエルによるテロ攻撃」と非難しました。

同施設では、2010年にサイバー攻撃、2020年7月に爆発があり、同年11月にはテヘラン郊外で著名な核科学者が暗殺されています。下手人は、モサド（イスラエルの対外諜報機関）あるいは、アメリカのCIA（中央情報局）だと、イランは指摘しています。

特にイスラエルによる核施設に対する攻撃は徹底しており、1981年にはイラクの原子炉を、2007年にはシリアの核施設を空爆しています。

イスラエル建国と現代のキュロス

では次に、イスラエルに目を向けてみます。そのために、まずは同国の建国と中東戦争についてのお話しを少ししたいと思います。

1948年の第一次中東戦争のきっかけは、同年のイスラエルの建国にありました。

1948年は、イギリスによるパレスチナにおける国際連盟委任統治が終わる年です。パレスチナは日本の四国地方と同サイズです。その前年、国際連合パレスチナ分割案で、国際連合はパレスチナ人（アラブ人）ではなく、ユダヤ人に有利にパレスチナを分割します。

アメリカ合衆国第33代大統領ハリー・S・トルーマンが、大統領選挙でユダヤ人票を固めるために、パレスチナ分割案がユダヤ人に有利になるように国連に圧力をかけたのです。そしてパレスチナの地に1948年、「イスラエル」という国ができました。

古代のイスラエル人を「バビロン捕囚」のくびきから解放したのが、アケメネス朝ペルシアの王キュロス2世でした。彼はイスラエル人を故国へ帰還させ、神ヤハウェの崇拝再開を許可しました。トルーマンはみずからを「現代のキュロス」と呼び、ユダヤ人票を固め大統領選挙に勝ちました。

イスラエル建国の直前には、エルサレム近郊のデイル・ヤーシンで、ユダヤ人の武装組織イルグンが女性や子どもを含む120人弱のアラブ人を虐殺する事件がありました。イルグンにはのちに首相となるメナヘム・ベギンも所属しており、イスラエルの建国は、最初から血を伴うものでした。イスラエルは、テロ行為を伴い建国されたのです。

先の分割案では、西エルサレムも東エルサレムも国際管理と決められました。東エルサレムはユダヤ教、キリスト教、イスラム教の聖地のある世界遺産エルサレム旧市街も含みます。

ところがイスラエルが建国され、それを認めないアラブ諸国が挑んで起きた第一次中東戦争の結果、イスラエルは領土をさらに拡大し、西エルサレムも占領します。またガザ地区をエジプトが、そして東エルサレムを含むヨルダン川西岸地区はヨルダンが占領することになりました。こうして、これらの地域に住んでいたパレスチナ人は難民（パレスチナ難民）になったのです。

国連決議を無視し続けるイスラエル

1956年には、エジプトのナセル大統領のスエズ運河国有化に反発したイギリス、フランス、イスラエルがエジプトを攻撃します。これが第二次中東戦争ですが、現在に続くパレスチナ問題のスタート地点は、第三次中東戦争（1967）です。

この戦争の原因のひとつは、1964年にパレスチナのアラブ人の解放を目指す武装組織PLO（パレスチナ解放機構）ができ、その活動が活発になったことでした。

PLOの敵はイスラエルと思いがちですが、それはもちろん、発足当時の理屈でいえばガザ地区を占領しているエジプトも、ヨルダン川西岸地区を占領しているヨルダンも、PLOにとっては敵でした。

第三次中東戦争では、のちにイスラエルの首相となるイツハク・ラビンを総大将として、イスラエルが6日間で5倍に領土を広げる戦争を敢行しました。また、イスラエルはシリアからゴラン高原、ヨルダンから東エルサレムを含むヨルダン川西岸地区（三重県と同サイズ）、エジプトからガザ地区とシナイ半島を奪い占領します。

とりわけ重要なのは、3つの宗教の聖地があるエルサレム旧市街（東エルサレム）を、この1967年にイスラエルが占領したということです。こうして1948年にイスラエルが占領した西イスラエルとともに、エルサレム全体がイスラエルの占領地となったのです。

これは国連基準からいけば侵略行為です。というのも国際連合パレスチナ分割案ではエルサレムは国際管理だったからです。ゆえに、国連決議242号で「イスラエルの侵略」だと認定されましたが、イスラエルは占領をやめませんでした。

その後、「ヨムキップル戦争」とも呼ばれる第四次中東戦争が起きたのは1973年です。「ヨムキップル」とはユダヤ人の贖罪の日で、1年のなかで最も盛大に祭りを祝うユダヤ人が最も油断する日です。この日にアラブ側が奇襲をかけたのです（2023年10月7日のハマスの攻撃も、ほぼ同じタイミングで敢行されました）。

目的はもちろん、第三次中東戦争で占領された地域を取り戻すことでした。

第四次中東戦争では当初、イスラエルは劣勢に置かれますが、終わってみれば大きな領土変更はありませんでした。国連決議338号で、やはり4つの占領地はイスラエルの侵略だということになったのですが、今度もイスラエルはそこから撤退しませんでした。当然、アメリカが援助しているわけですから、イスラエルに対する制裁はありませんでした。

強者へと変貌したイスラエルとハマスの登場

1982年にイスラエルが侵攻したのがレバノンでした。このレバノン侵攻は、国際的に弱者という位置づけであったイスラエルが「攻める」国家へ変貌したことを印象づけた事件でした。

1964年に設立されたPLOの本部はヨルダンにありました。しかし、ヨルダン国王はベドウィン（アラブ系遊牧民）を使ってPLOのメンバーを虐殺します。PLOにとってはヨルダン川西岸を占領していたヨルダンも敵であり、ヨルダン政府から見てもPLOは決して仲間にはなりえない存在でした。ゆえにヨルダン国王はPLOを排除したのです。

排除されたPLOはレバノンに移動します。イスラエルから見ると北にPLOがいる状況は脅威です。こうして、イスラエルは1982年にレバノンに侵攻するのですが、その際に当時の国防相、のちの15代首相のアリエル・シャロンが、パレスチナ難民キャンプで無差別殺戮を行います。これを契機にレバノンに誕生したのがヒズボラで、宗派はシーア派です。

その後、1987年からイスラエルの占領地で「インティファーダ」が始まります。インティファーダとは、アラビア語で「埃を払う、一掃する」という意味です。「蜂起」の意味で報じられがちですが、蜂起ではありません。おそらく外国の新聞が意味を転じたのでしょう。

インティファーダの具体的な行動は、パレスチナ人がイスラエル兵に石を投げ抵抗することでした。そしてこの頃、インティファーダを背景にイスラエルの占領地に登場したイスラム原理主義の集団が「ハマス」でした。ハマスは「イスラム抵抗運動」というアラビア語の単語の頭をつなげて読んだものです。

スンニ派のハマスは自爆テロをすることで知られていますが、エジプトの「ムスリム同胞団」から派生し誕生した、学校や病院をつくったりもするイスラム教集団です。

冷戦の終結とオスロ合意での「一瞬の和平」

東西冷戦終結後のタイミングでノルウェーの首都で成された妥協が、1993年の「オスロ合意」でした。エリコとガザ地区からの撤退にイスラエルが合意し、パレスチナ暫定自治協定が結ばれました。これにより、両地区でパレスチナ自治政府による暫定自治が始まりました。ですが、合意を小国ノルウェーが発表しても信憑性がありません。それを嗅ぎ付けた超大国アメリカがホワイトハウスの庭で発表し、合意に道筋をつけることになりました。

第42代アメリカ合衆国大統領ビル・クリントンの前で、イスラエル首相ラビンと、PLOの執行委員会議長などを務めたヤーセル・アラファトが握手し、ふたりはノーベル平和賞を受賞します。

私は1995年から2年連続で、レンタカーを使いヨルダン川西岸地区をくまなく廻りましたが、1996年に行ったときには、もう「西岸」にイスラエル兵はほとんどいませんでした。

また、ヨルダン川西岸最大の街ナブルスにイスラエル軍はいませんでした。正確に言うと、『旧約聖書』の「創世記」に登場し、「信仰の父」と呼ばれるアブラハムの曾孫ヨセフの墓だけはイスラエル軍が守っていました。

この時期、イスラエルの政界ではラビン労働党がハト派で、タカ派つまり強硬派はリクードという政党でした。1995年11月に、ラビン首相が和平反対派のユダヤ教徒に暗殺されると、政権は労働党のシモン・ペレス、その後はリクードのベンヤミン・ネタニヤフの手に渡ります

1993年9月13日、オスロ合意で握手するイスラエルのラビン首相とPLOのアラファト議長。中央はクリントン大統領

が、ネタニヤフもヨルダン川西岸から徐々に撤退を決定し、撤退を開始しました（2023年時点ではヨルダン川西岸地区の60パーセントをイスラエル軍が統治）。

ネタニヤフの首相の任期が1996年から1999年ですから、オスロ合意の枠組みは20世紀の間は遵守されたということになります。しかし、それは「一瞬の和平」でしかありませんでした。

2000年に第二次インティファーダが起こります。この年、イスラエルは選挙の年で、野党党首シャロンは選挙のキャンペーンとして、東エルサレムのハラム・アッシャリーフ（神殿の丘）を側近たちと練り歩きました。

そこはアル・アクサモスク、そして「岩のドーム」があ

る丘です。「岩のドーム」は4000年前にヘブライ（ユダヤ）人の族長アブラハムが息子イサクを捧げるように、神ヤハウェから信仰の試練を受けた場所です。そこはユダヤ人つまりイスラエルという国家にとって、最も重要な場所でした。

ただイスラム教徒は、アブラハムのもうひとりの息子イシマエルを捧げるように、アブラハムがアッラー（唯一神）から信仰の試練を受けた場所であると考えます。ですから、イスラエルの野党の党主が選挙キャンペーンでそこを歩けば、祈りを捧げるパレスチナ人は侮辱と感じるのは当然でした。

これがきっかけで、第二次インティファーダとなりました。

事実上、オスロ合意は完全に水泡に帰し、2005年にイスラエルは入植地で生活していたユダヤ人をガザ地区から撤退させ、ヨルダン川西岸地区からも入植地は確保しつつもユダヤ人を撤退させます。この撤退の背景には、イスラエルの人口問題がありました。

イスラエルではユダヤ人の出生率が低く、パレスチナ人の出生率が高いという状況が続いていました。仮に両地区をイスラエルとすると、ガザ地区とヨルダン川西岸全体を占領したままではユダヤ人が広く分散してしまい、将来的にイスラエルがユダヤ人のほうが少ない国になってしまう可能性があります。そこで、パレスチナ人が多数住む両地区からユダヤ人を撤退させ、いわば両地区をイスラエルから切り離し、イスラエルにおけるユダヤ人の人口比を高めたわけです。なお、2023年時点で、イスラエル国民の約20パーセントがパレスチナ人です。
イスラエルの撤退後は、ヨルダン川西岸をファタハというPLO穏健派が現在に至るまで支配しています。かたや、2007年からガザ地区を支配するようになったのがハマスでした。

ガザ地区は新型兵器のショーウインドウ

件の集団ハマスは2006年に行われたパレスチナ評議会選挙に初めて参加します。それまで、パレスチナ評議会はPLO内の最大組織で穏健派ファタハが主流派でしたが、ハマスはこの選挙でファタハを上回る支持を得ました。ガザ地区の民衆には、腐敗の巣窟であるファタハに比べ、ハマスのほうが清廉潔白に映ったのです。

しかし、その後はファタハとの抗争やイスラエルとの衝突が続き、自治政府内はハマスが支配するガザ地区とファタハが支配するヨルダン川西岸地区とに分断され、現在に至るまで基本的には対立しており、イスラエルはその時々の必要と状況に応じ、それぞれに忖度してきました。

また、2007年からは治安対策を理由に、イスラエルはエジプトと共同でガザ地区を封鎖しています。壁に囲まれている世界屈指の人口密度の同地区は、「天井のない監獄」と言われています。

２０２３年10月に、ハマスはかつてないほどの規模でイスラエルに攻撃を仕掛けました。その理由は何か？　さまざまな憶測が飛び交っています。

たとえば、サウジアラビアとイスラエルが国交正常化交渉を進めており、それを妨害するためというものです。両国の国交が正常化するとパレスチナが見捨てられると考えてのことというわけです。かたや、ハマスがパレスチナ人の間での支持を伸ばそうと、イスラエルとのプロパガンダ戦での勝利を目指したという見方もあります。

また、ヨルダン川西岸地区へのユダヤ人の入植は明らかに国際法違反ですが、これを『旧約聖書』の「ヨシュア記」に記録されている「カナン大征服」と同様だと信じる過激なユダヤ人の一群がいます。カナン大征服は、神がイスラエルの民を用いてカナンの民に裁きを下すというもので、彼らのボスがネタニヤフ政権の閣僚になっていることも、２０２３年10月にハマスがイスラエルに攻撃した理由として挙げられています。

ハマスの意図が明確にならないなか、戦争は長期化の様相を見せています。５００人弱が犠牲になったと報道された病院への攻撃は、当初イスラエル軍による攻撃とされ、世界を驚愕させました。しかし、徐々にイスラエルによるものではなく、ハマスとは別のガザ地区の過激派「イスラム聖戦」のロケット弾の誤射であり、それをハマスが犠牲数を水増しして発表し、世界各地のサポーター獲得に利用したのだ、という報道もされました。

事の真偽は、まさに「神のみぞ知る」です。しかし、イスラエルとハマスの間で過去に例をみないほど大規模な戦闘が展開され、双方が大量の武器を消費させたことは事実です。

なお、ガザ地区からハマスが発射するロケット砲購入資金の出どころは、じつはアメリカです。そう聞くと、「なぜ、イスラエルとベタベタのアメリカが資金を？」と疑問に思う方も多いことでしょう。それは、バイデン政権になってからのアメリカが、前トランプ政権時に比べてパレスチナへの資金援助を著しく増額したことにあります。

ハマスのロケット砲は、北朝鮮の技術援助を受けたイラン製兵器だと言われています。その軍資金の原資が、北朝鮮、イランと激しく対立するアメリカの援助金なのです。

このようにガザ地区はもはや新型兵器のショーウインドウ、メッセ会場であり、水面下ではアメリカの軍事産業とネオコンをはじめとする、「死の商人」たちが蠢いているのです。

そのような血なまぐさい戦いの向こう側に、国際政治の現実が透けて見えてきます。

ガザ地区の住民に南部への移動を促したあとに、南部を爆撃し死傷者を出したイスラエル軍を批難したグテーレス国連事務総長の解任をイスラエル政府は要求しました。アメリカ・イスラエル枢軸が、国連決議も国連事務総長をも超越する「正義」の体現者として振舞っているのが今日の世界史の現状なのです。

しかも、イスラエルの国防相はガザ地区の人々を「動物」呼ばわりしています。この発言にも、イスラエル国民、ユダヤ人の人種的優生（選民）思想がほの見えます。

クリントンが描いたロシア・コントロールプラン

では今度は、キーウ（キエフ）に目を向けてみましょう。

まず、なぜロシアがウクライナに侵攻したのか？　それを紐解いていきたいのですが、これからお話しすることは、日本のマスコミがあまり伝えてこなかった内容となります。

1990年に東西ドイツが統一し、北大西洋条約機構（NATO）が東ドイツまで拡大したときも、ソ連が崩壊した1991年も、アメリカのジョージ・H・W・ブッシュ政権の高官たちは、「ロシアが（NATOに対抗する）ワルシャワ条約機構加盟諸国をロシアから解放したら、NATOを東方に拡大しない」と繰り返し明言しました。もっとも、当時のソ連の最高指導者ミハイル・ゴルバチョフは、そのようなことを明記した文書はないと言っています。

やがて1993年に入ると、アメリカのクリントン政権は、ロシアの巨大な天然資源を民営化し、アメリカ政府とアメリカの金融業者がコントロールするプランを立てます。

1997年の米露首脳会談で、ビル・クリントン大統領はロシアのG8の地位と世界貿易機関（WTO）への早期加盟への支援を約束。それに対するロシアのボリス・エリツィン大統領の見返りが、1999年のハンガリー、チェコ、ポーランドのNATO加盟の容認でした。

これは、クリントン政権のマデレーン・オルブライト国務長官の功績でした。オルブライトはチェコスロバキアのプラハのユダヤ系家庭に生まれ、同国の共産化と同時に家族とともにアメリカに渡るという経歴を持ちます。

一方、2000年、当時、首相と大統領代行を務めていたウラジミール・プーチンは、ロシアの将来的なNATO加盟の可能性まで示唆し、2002年にはNATOに急接近、協力強化で合意しました。冷戦勝者としてのアメリカの面目躍如の時期でした。

さらに2003年、グルジア（現ジョージア）で「バラ革命」という反政府運動が起こります。これはハンガリー系ユダヤ人の投資家ジョージ・ソロスが暗躍し、大統領のエドゥアルド・シュワルナゼを退陣させ、ウォール街の弁護士出身のミヘイル・サーカシビリを大統領に選出させるという革命でした。

こうして、ジョージアはNATOとEU（欧州連合）加盟を目指す親欧米国家となっていきました。

オバマも認めたウクライナへの内政干渉

この動きは、2004年のウクライナにおける「オレンジ革命」に受け継がれます。

この年に行われた大統領選挙は、親露派のヴィクトル・ヤヌコヴィッチと、欧米派が推したヴィクトル・ユーシチェンコの一騎打ちになりました。そして前者が勝利をすると、「不正選挙である」として、オレンジ色の旗と衣服による民衆デモが起きます。

デモの様子は各国で報道され、ウクライナは世界の注目を浴びるようになります。そして再投票が行われるのですが、勝利したのは親欧米派のユーシチェンコでした。

そのユーシチェンコが2010年に「ウクライナの英雄」の称号を与えたのが、ステパン・バンデラ（1909〜1959）です。

バンデラは純粋ウクライナ人国家の樹立のための民兵軍事組織を指揮した人物で、大戦中にドイツ軍への協力を選択しました。だからプーチンはウクライナの新欧米派との戦いについて「ナチスとの戦い」と言っているのです。

2010年の大統領選挙ではヴィクトル・ヤヌコヴィッチが勝利して、ウクライナは再び親露派に率いられることとなりました。すると今度は2014年、ウクライナの首都キーウで

「ユーロマイダン革命」が起きたのです。

「マイダン」とはウクライナ語で「広場」を意味します。この革命は、旧ソ連諸国との間で「ユーラシア経済連合」結成を模索していたロシアの圧力で、ヤヌコヴィッチがEUとの連合協定を断念したことに対する反政府行動でしたが、背後にはアメリカの煽動がありました。事実、当時、大統領だったバラク・オバマは内政関与をしたことを、CNNのインタビューで認めています。

これを指揮したのは、帝政ロシアに迫害された東欧から移民したユダヤ系の子孫のビクトリア・ヌーランド国務次官補でした。彼女がクッキーを配りマイダン革命を煽る写真が出回るほど、ヌーランドは精力的に活動したのです。

ヌーランドはバイデン政権では国務次官を務めており、夫のロバート・ケーガンもユダヤ系で、ネオコンの代表的な論客として知られています。

このユーロマイダン革命は、決して民主化革命などではありません。アメリカが手を突っ込み傀儡政権をつくり上げた、ウクライナの国粋主義右翼集団による流血クーデターでした。

こうして親露のヤヌコヴィッチが亡命し、デモを財政面で支持した親欧米派の実業家ペトロ・ポロシェンコが、大統領選挙に勝利しました。その後、ポロシェンコは2019年の大統領選挙で、やはりユダヤ系のウォロディミル・ゼレンスキーに敗れます。

なお、ウクライナの大統領選で争点になるのが「汚職」です。

ウクライナは「汚職大国」として知られており、ゼレンスキーも汚職撲滅を公約に掲げて当選しています。しかしその後、汚職に絡んだ複数の政府高官の辞職、解任が相次いでおり、「汚職大国」からの脱却はいまだ実現されていません。

ウクライナはアメリカにとって「おいしい国」

このユーロマイダン革命後のウクライナで、ユダヤ系の富豪が私費で組織したのが武装組織の「アゾフ大隊」でした。

アゾフ大隊は2022年のロシアのウクライナ侵攻後、内務省傘下の戦闘部隊として扱われ、ウクライナ南東部の要衝マリウポリでの激闘などで世界的に注目されますが、発足時は国粋主義者の集まりでした。アゾフ大隊は2014年、ウクライナ東部ドンバス地方（ドネツクとルガンスク）でのロシアとの紛争に参加しますが、その際、ロシア系住民を攻撃し殺害しました。

現在、ウクライナで起きていることについては、ロシアが侵攻したこともあり、日本の報道ではロシア軍の残虐さがクローズアップされがちです。

しかし、実際はアゾフ大隊をはじめとする、ウクライナ側の残虐行為もかなり起きていると見られていますが、アメリカや日本を含む西側の報道が黙殺しているのにすぎません。

ロシアのウクライナ侵攻に関する報道で、欧米の新聞やイギリスのBBC（英国放送協会）などが毎日のように伝えるニュースは、アメリカの「戦争研究所（ISW）」というシンクタンクの情報や戦況地図をベースにしたものです。しかし、ISWを運営するのはネオコンであり、これについて報道されることはほとんどありません。

戦争報道は困難で、ゆえに戦争をする当事国による情報戦に使われがちです。ロシア国内でも、自国に都合が良いニュースを伝えているでしょうが、それはウクライナ側でも同じなのです。

なお、このドンバス地方の紛争後の2015年には、プーチン、ポロシェンコ、アンゲラ・メルケル（ドイツ首相）、フランソワ・オルランド（フランス大統領）の間で「ミンスク合意」が成立します。この合意には、停戦との交換条件に、ドネツクとルガンスク両州でのロシア系住民の一定の自治権を認めることが盛り込まれました。

しかし「一定の自治権」など曖昧な点も多く、ロシア、ウクライナともに「相手が守っていない」と主張し、実質的には機能しませんでした。のちにメルケルは「最初から（ロシアを）欺くつもりだった」と認めています。

一方、ポロシェンコはドンバス地方での住民殺害の責任者を解任しました。

しかし2015年以降も、アメリカはドンバス地方において、ウクライナ軍を軍事的に支援しています。数百名の米軍将校をウクライナに常駐させ、ウクライナ軍と極右集団に対しアメリカ製武器を供与し、軍事訓練を支援したのでした。

このように軍事的な介入を続けてきたアメリカですが、オバマ政権時に副大統領を務めたジョー・バイデンの息子が、2014年頃、ウクライナの企業の利権に不正に関わったとされる疑惑も浮上しています。「汚職大国」だからこそ、アメリカにとってウクライナは「おいしい国」なのでしょう。

ロシアとウクライナの戦争は「宗教戦争」

ロシアとウクライナの戦争についての日本の報道で、もう一点、見落とされがちな要素があります。それはこの戦争が「宗教戦争」であるという点です。2019年の大統領選挙を見据え、政治的求心力の低下を懸念した当時のポロシェンコ大統領は、「信仰」をナショナリズム高揚のテコにしました。現在起きている戦争は、その延長上にあるのです。

2018年10月、ロシア正教会（キリル総主教）は、ウクライナ正教会から独立の承認を迫られますが、ウクライナ正教会はロシア正教会の所属でしたから、ロシア正教会はそれを認めませんでした。しかし、同年12月にウクライナ正教会は独立を宣言します。

ウクライナ正教会の独立は、正教会（東方教会）において1054年の東西教会分裂以来の「事件」でした。これは、コンスタンティノープル総主教（コンスタンティノープル教会のトップ）が、モスクワ総主教（ロシア正教会のトップ）から、キーウ教会を奪ったことを意味します。なぜならばピョートル大帝の時代の1686年に、コンスタンティノープル総主教座は、モスクワ総主教座にウクライナ地域の管轄権を認めていたからです。

ところが、2018年のウクライナ正教会独立を、キリル・モスクワ総主教を抜きにして、コンスタンティノープル総主教が（勝手に）認めたのです。

当然、キリル総主教は激怒しました。ゆえに2022年2月、ロシア軍のウクライナ侵攻について、キリル総主教が「祝福」という言葉で全面的な支持を与えたのでした。

この背景には、ウクライナ正教会内部での政治的闘争があります。

ウクライナ正教会内部は、モスクワ系とキーウ系に分かれていました。正教会内では指導権の争いが起きており、それは同時にコンスタンティノープル総主教とモスクワ総主教の争いでした。キーウ系は特にコンスタンティノープル総主教と密接で、コンスタンティノープル総主教のお墨付きを得て、独立を嘆願したのでした。

キリル総主教は1972年、神学校の学生だったときに悪名高きKGB（ソ連国家保安委員会）にリクルートされた人物です。その後、中南米でマルクス主義的カトリックともいえる「解放の神学」や、キリスト教社会主義を浸透させます。正教会側から見ると、中南米の人々はカトリックやプロテスタントに汚染されたようなものでした。

このように、キリル総主教はロシア（旧ソ連）にとって大きな功績があります。また、ソ連時代に没収されのちにロシア正教会に返却された財産と土地の独占権も彼が握っています。なお、ロシア政府はコンスタンティノープル総主教庁の背後には、NATO加盟諸国の意思が働いていると考えています。その真偽はわかりませんが、外交と宗教の争いが同時に起きているのです。

✸「第2のCIA」NEDが活動を活発化

ロシアのウクライナ侵攻における言い分は、ウクライナの中立化・非軍事化、つまりNATO加盟を許さないということです。また、「NATOの東方拡大ラインを、1997年時点まで戻せ」というのがプーチンの主張です。

同時にドンバス（ドネツクとルガンスク）から西のザポリージャ、クリミア半島の水源のヘルソンにかけての一帯を、ロシア連邦に編入する意図があります。もちろん、これは紛れもない

NATO加盟国の変遷

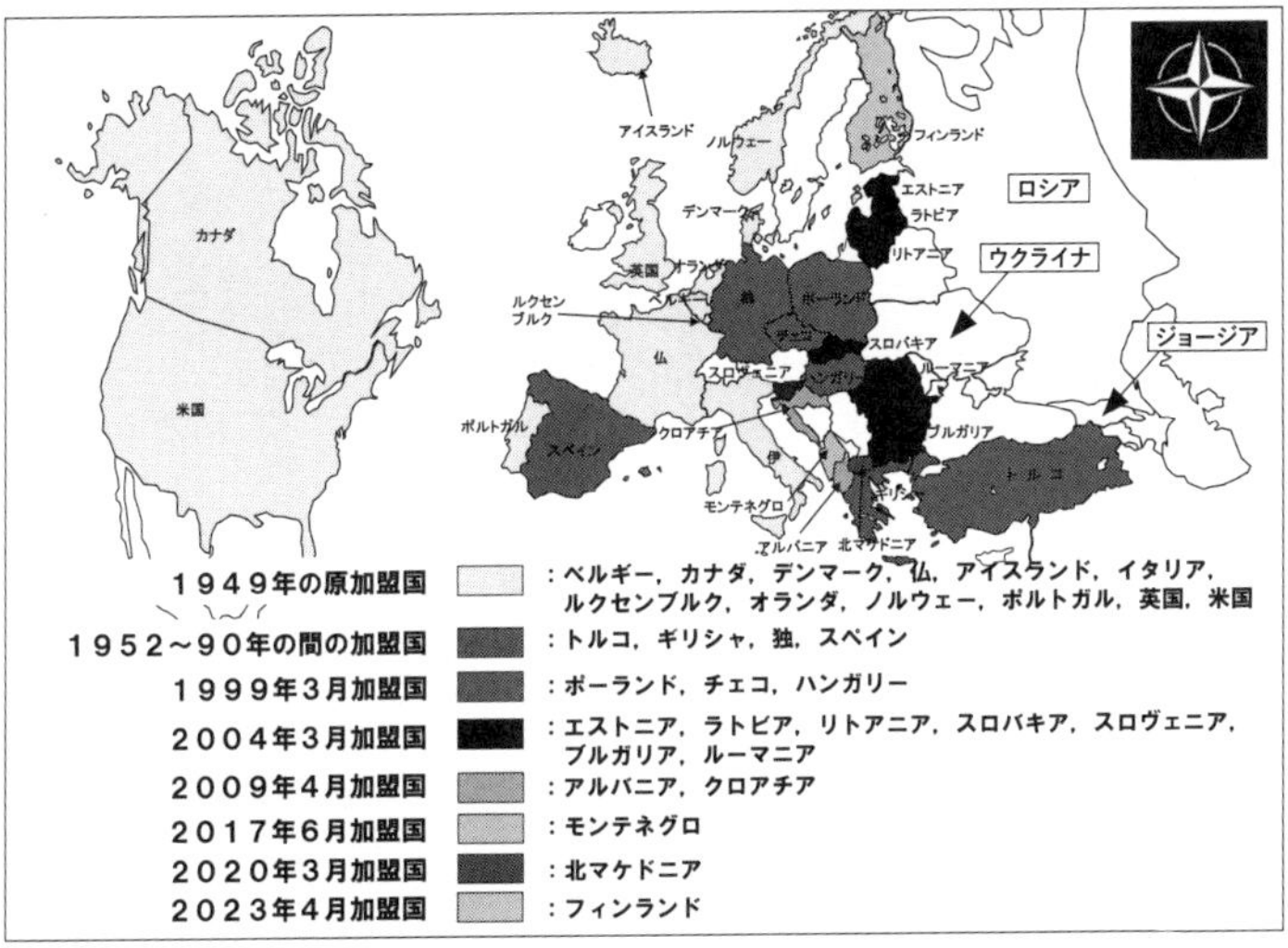

NATO拡大の変遷（『北大西洋条約機構（NATO）について』外務省欧州局政策課より）

主権侵害です。なお、ドネツク州のアゾフ海に面した街が、多数の死者を出したマリウポリです。

　この一帯は黒海に面しており、オデッサ港などもあります。軍事的にも重要ですし、オデッサもセバストーポリもマリウポリも、紀元前にギリシア人が小麦を入手するために築いた拠点ですから、農産物とその交易の要衝とも言えます。「ポリ」はポリス（都市国家）の意味です。

　他方、アメリカにとっては、「ロシア弱体化のための戦争」という側面があります。アメリカは侵攻以前から、ロシアの侵攻計画を把握していました。また、バイデン大統領が「ロシアがウクライナに侵攻しても（アメリカは）軍事介入はしない」と述べたという情報もあります。

憶測にはなりますが、「ロシア弱体化のグッドタイミング」と見て、あえてロシアが侵攻するように、そういった情報を流したとも考えられます。

しかもここに至るまで、アメリカはCIAとNED（全米民主主義基金）がジョージアなど各国で工作を展開し、民族主義的な独立運動を刺激してロシアを揺さぶってきました。その仕上げがウクライナなのです。

NEDは冷戦たけなわの1983年、レーガン政権下でネオコン主導により設立されました。超党派および民間非営利団体であり、その目的は「アメリカの予算で世界の民主化を支援する」ということにあります。このように、いかにもアメリカらしい、立派な「大義」を掲げており「第2のCIA」とも言われています。

このNEDが仕掛けたのが一連の「カラー革命」などの反政府行動でした。

2010年チュニジアの「ジャスミン革命」に始まる「アラブの春」も、2014年の香港の「雨傘運動」に台湾の「ひまわり革命」も、2018年フランスの「黄色いベスト運動」、そして2022年の中国の「白紙革命」も、すべてNEDが仕掛けたものでした。

NEDが支援するのはそれらの国の反体制派です。しかし、直接政治家を支援しては内政干渉になるので、いわば「民主運動の活動家」と言える学生などの活動に金銭的な支援を行うのです。

もし政権をひっくり返せれば、新たな政権は事実上アメリカの傀儡になります。それが、ウクライナでも長年にわたり起きてきたのです。

✹予想外の「化学反応」で世界に悲劇は訪れる

このように、イスラエルとウクライナで起きている戦争から、水面下で蠢く戦争ビジネスの様子がおぼろげに見えてきました。もちろん、アメリカ以外の国も関わっていますが、もっともコントロールできる、主導権を握っているのはアメリカです。サッカーに喩えるなら、アメリカがボールを保持しているのです。

ウクライナへの武器支援は、アメリカの軍産複合体を潤すレベルには達していないという分析もあります。

それゆえに、アメリカのネオコンやディープステート（闇の政府）が、ウクライナでの戦争ビジネスを継続し、さらにそれに続くビジネスシーンとして、もともと戦争ビジネスの場であったガザ地区で、もうひと儲けをたくらんだとも考えられます。そして、そのビジネスパートナーが、ハマスに武器への横流しをする「腐敗」ウクライナという構図だったのでしょう。

よもや、アメリカが第三次世界大戦を企てているとは思いません。しかし、紛争や戦争が明らかに軍需産業を潤し、ひいてはそれに深く関わるネオコンやその支持者に恩恵をもたらすのは、動かしようがない事実です。実際、イラク戦争では軍需産業が潤い、アメリカ政府高官のファミリー企業に、イラクの復興ビジネスを提供しました。あらゆる紛争、戦争は必ず「惨劇」とともに、「ニュービジネス」の可能性を生み出します。

第二次世界大戦は、そもそもヨーロッパの局地戦でした。それが、日本とアメリカの参戦によって、人類史上、二度目の世界大戦へとつながりました。ヒトラーと手を組んだに等しいバチカンのパーチェリ、ローズベルトに開戦を働きかけた胡適、三国同盟という失策を犯した松岡洋右など、さまざまな国家・人間がさまざまな思惑で動き、それらがまるで化学反応を起こすかのように組み合わされて、開戦に至ったのです。

ハイエクは、「進化そのものを人間はコントロールできない」と指摘しましたが、どんな人間・国家であっても、これから先に起きるすべてのことをコントロールできません。予想外の「化学反応」により、ウクライナやイスラエルの局地戦が、世界大戦へとつながる可能性もある――我々は今、極めて不安定な世界で生きているのです。

おわりに——イエスの生き方に私たちが学ぶことを見つけて

私は世界史の講師をやりながら、同時に聖書の研究も続けてきました。ゆえに、本書では世界史の語り部と聖書の研究者を両端として、人類の「暴虐」を読み解くことに多くのページを割いてきました。

数々の聖書の「誤読」「悪用」についてお話ししてきましたが、皆さんにお伝えしたい聖書の言葉、あるいはイエスの人となり、語ったことなどもたくさんあります。ですから、最後に、ほんの一握りですが、ここでお話ししたいと思います。

『旧約聖書』の「エレミヤ書」に、こんな言葉があります。

地のヒトの道はそのヒトに属していない。自分の歩みを導くことさえ、歩んでいるそのヒトに属していない。

この言葉が示すように、私たちヒトが最も認めるべきことは、「自分の歩みを導く能力に欠けている」ということでしょう。人類が「暴虐」の歴史を繰り返してきたことを思うと、結局、ヒトは歴史から何も学んでいないのかもしれません。

この『エレミヤ書』のみならず、『旧約聖書』の言葉に精通していたイエスが自身の弟子たちに求めたのは、ある種の「絶対平和主義」でした。

イエスは弟子たちにこう教えました。

「もし右の頬を打たれたら、左の頬を向けなさい」

対面している相手が右利きだとして、自分が右の頬を打たれるというのは、相手が右手の手のひらではなく甲で、いわば裏拳のような形で頬を打ってきたということになります。これは当時のユダヤ人の習慣では、相手を侮辱する頬の打ち方でした。

ということは、慢性的に侮辱を加える相手を容赦するわけですから、イエスが教えた愛（ギリシア語では「アガペン」）というのは、感情や気持ちに左右されない原則に基づいた愛、ということになります。キリスト教の原則とは、神の愛が現れている基本的な真理のことなのでしょう。

このギリシア語のアガペンは自然の感情を「征服」することと結びつけられる言葉です。ですから、「フィリア（友情）」や「エロース（恋愛）」とも、「ストルゲー（家族愛）」のような自然に培われる愛とは異なる愛なのです。

これが、「汝の敵を愛せよ」の真髄です。

さらに師であるイエスが処刑される前の晩に「誰がいちばん偉いか」を弟子たちが争った場面で、イエスは弟子たちの足を洗ってこう言いました。

「主であり、師である私があなたがたの足を洗ったのだから、あなたがたも互いに足を洗い合わなければならない」

このように互いに仕え合うことこそが、弟子の証だと諭した点も忘れたくありません。

モーセのようにユダヤ人を「出エジプト」に引率はせず、キュロス王のように「バビロン捕囚」から解放せず、ローマ帝国への独立運動の指導者とはならずに政治権力と距離を置き、神の国が楽園（パラダイス）復興させることへの信仰を説き、「カエサルのものはカエサルに返しなさい」と言って、優良納税者となって絶対平和主義を貫くよう説いたユダヤ人――それがイエスでした。

しかしながら、聖書を「誤読」し、「歪曲」し、「悪用」した人々は虐殺を犯してしまいます。

また聖書のみならず、進化論、共産主義も同様に、『種の起源』や『資本論』をおおいに「乱用」した結果であり、多くの悲劇を招きました。

世界史が悲劇的なものとなった元凶に、耳を貸さぬ教条的な宗教者の姿勢があったことは本書で縷々述べてきました。しかし興味深いことに、イエスは宗教指導者が規則に固執しヒトを見下す態度は糾弾したものの、彼らに「アム・ハアレツ（愚者）」と呼ばれ、軽蔑の対象となった人々に対しては、「羊飼いのいない羊のように放り出されていた」と感じ愛情を示しています。

「心の貧しい（神の導きの必要性を自覚している）人は幸いである」

この有名な言葉で始まる「山上の垂訓」の聴衆は、アム・ハアレツたちでした。また、イエスは大人だけでなく子どもも愛し、よく話しかけ、そして言うことに耳を傾けました。男にも女にも、富んだ人にも貧しい人にも、群衆にも個人にも教えました。

大工として成人し、早く起き夜までヒトのため奉仕する姿を見せ、自分の弟子たちに模範を示しました。人並みの疲労や渇きや飢えを経験しつつ、時には食事を取らず、個人の自由な時間をしばしば群衆によって邪魔されても、彼らを親切に迎え話しました。

また、人々の興味を引くにはどうしたらよいかをよく知っていたので、その説明はわかりやすくてはっきりしていました。だからイエスの語った言葉は人々が正しいことを行うための助けとなりました。

イエスは、自己否定の生き方をする苦行者ではありませんでした。何度となく食事への招待や宴会への招待を受けただけでなく、かなり裕福な人々の家を訪問したこともありました。水を上等のワインに変えることによりカナという街での結婚式を盛り上げることにも貢献しました。

磔刑時の衣服は上等なものだったので、処刑したローマ兵がくじ引きで山分けするほどでした。

『新約聖書』の「ルカによる福音書」には、イエスに従った女性であるマグダラのマリヤが、大変高価な香油をイエスの足に塗るという場面が出てきます。一見すると、そのような振る舞いを受け入れるのはイエスらしくありません。しかし、マリヤはイエスへの尊敬や感謝、親愛の思いを込めて、惜しみなく高価な香油を注いだのです。

そのマリヤの思いをイエスは正しく評価したので受け入れます。このことからもわかるように、イエスは物質上のものに対しても釣り合いの取れた見方をしました。

皆さんも聖書そのものをどれか一冊手に取って、イエスの人物像を「世界史」のなかの人物と比較してみてはいかがでしょうか。聖書の視点で、現在世界で起きていることを見つめると違ったものが見えてくるかもしれません。

そうでなくとも、イエスの生き方のなかに、皆さんの人生にプラスになることを見つけることができると、私は信じています。

2023年11月

村山秀太郎

主な参考文献

●『アメリカはいかにして日本を追い詰めたか』ジェフリー・レコード著、渡辺惣樹訳／草思社

●『インディアスの破壊についての簡潔な報告』ラス・カサス著、染田秀藤訳／岩波文庫

●『ヴェノナ 解読されたソ連の暗号とスパイ活動』ジョン・アール・ヘインズ、ハーヴェイ・クレア著、山添博史、佐々木太郎、金自成訳／扶桑社

●『共産党宣言』カール・マルクス、フリードリヒ・エンゲルス著、大内兵衛、向坂逸郎訳／岩波文庫

●『近代経済思想』西部邁著／放送大学教育振興会

●『経済学批判』カール・マルクス著、武田隆夫ほか訳／岩波文庫

●『講義ウクライナの歴史』黛秋津編、三浦清美ほか著／山川出版社

●『コモンセンス』トーマス・ペイン著、小松春雄訳／岩波文庫

●『これ1冊！世界各国史 地球80億人の来し方・行く末』村山秀太郎著／アーク出版

●『実験国家アメリカの履歴書』鈴木透著／慶応義塾大学出版会

●『社会契約論』ジャン＝ジャック・ルソー著、桑原武夫、前川貞次郎訳／岩波文庫

●『社会進化論』ウィリアム・グラハム・サムナーほか著、後藤昭次訳／研究社

●『習近平が狙う「米一極から多極化へ」』遠藤誉著／ビジネス社

●『種の起源』チャールズ・ダーウィン著、八杉龍一訳／岩波文庫

●『自由からの逃走』エーリッヒ・フロム著、日高六郎訳／東京創元社

●『正統の哲学異端の思想』中川八洋著／徳間書店

●『世界史概観』H・G・ウェルズ著、長谷部文雄、阿部知二訳／岩波新書

●『全体主義の起源』ハンナ・アーレント著、大久保和郎訳／みすず書房

●『誰が世界を支配しているのか？』ノーム・チョムスキー著、大地舜、榊原美奈子訳／双葉社

●『駐米大使胡適の「真珠湾への道」』佐藤公彦著／御茶の水書房

●『道徳情操論』アダム・スミス著、米林富男訳／未来社

●『なぜ中国人はこんなに残酷になれるのか』石平著／ビジネス社

●『ハイエク全集5』フリードリヒ・ハイエク著、西山千明ほか監修／春秋社

●『緋文字』ナサニエル・ホーソーン著、八木敏雄訳／岩波文庫

●『葬られた原爆展 スミソニアンの抵抗と挫折』フィリップ・ノビーレ、バートン・J・バーンステイン著、三国隆志ほか訳／五月書房

●『リヴァイアサン』トマス・ホッブズ著、水田洋訳／岩波文庫

●『ルワンダにおける1994年のジェノサイド』饗場和彦／社会科学研究

●『ルワンダにおける民族対立の国際的構造－1959年－62年』鶴田綾著／一橋法学

村山秀太郎……むらやま・ひでたろう……
1963年横浜生まれ。世界史塾バロンドール主宰。スタディサプリ講師。早稲田大学商学部卒業、同大学院社会科学研究科修士課程修了（社会思想史専攻）。16歳単身欧州8カ国旅行、19歳サハラ砂漠縦断。ベルリンの壁崩壊、ドイツ統一の式典、ソ連8月クーデターを当日体験。オスロ合意前後のヨルダン川西岸・ゴラン高原、アウシュヴィッツ・トゥールスレン収容所、奴隷最終積み出し島ゴレーなど世界史の舞台100余国を歩いてきた。著書に『これ1冊！世界各国史』『これ1冊！世界文化史』（アーク出版）、『世界一わかりやすい世界史の授業』（中経出版）、『中学生から大人までよくわかる中東の世界史』（KADOKAWA）、『世界史トータルナビINPUT&OUTPUT800』（学研）、『東大の世界史ワークブック』（かんき出版）、監修に『地政学で読み解く！ 海がつくった世界史』（実業之日本社）、『百年前を世界一周』（だいわ文庫）、『地政学入門』（洋泉社）、『絵本のようにめぐる世界遺産の物語 地球の記憶編』、『地図でスッと頭に入る世界の資源と争奪戦』（昭文社）、『イッキにわかる！国際情勢』（二見書房）などがある。

ブックデザイン／長久雅行
編集・執筆協力／川﨑敦文

暴虐と虐殺の世界史

人類を恐怖と絶望の底に突き落とした英傑ワーストイレブン

2024年1月10日 初版発行

著者　村山秀太郎
発行所　株式会社 二見書房
〒101-8405
東京都千代田区神田三崎町2-18-11
電話 03（3515）2311［営業］
03（3515）2313［編集］
振替 00170-4-2639

印刷　株式会社 堀内印刷所
製本　株式会社 村上製本所

落丁・乱丁本はお取替えいたします。
定価は、カバーに表示してあります。

ISBN978-4-576-23143-3
https://www.futami.co.jp